#영어는매일매일
#하루6쪽20일완성
#수능준비스타트
#영어기초하루시리즈

교재 제작에 도움을 주신 선생님들

Chunjae
Makes
Chunjae

▼

편집개발 김미혜, 김희윤, 신현겸
디자인총괄 김희정
표지디자인 윤순미, 김지현
내지디자인 박희춘, 이혜진
제작 황성진, 조규영

발행일 2020년 12월 1일 초판 2020년 12월 1일 1쇄
발행인 (주)천재교육
주소 서울시 금천구 가산로9길 54
신고번호 제2001-000018호
고객센터 1577-0902
교재 내용문의 (02)3282-8870

시 작 은

하루
수능

영어영역

구문
기초

구성과 특징

처음으로 수능 영어와 만날 준비를 하고 있나요?

그렇다면 **구문** 학습은 독해 실력의 기본기를 닦는 중요한 과정이 될 거예요.
꼭 필요한 기본 구문을 먼저 익히면 탄탄한 기본을 갖고 수능 영어를 준비할 수 있습니다.

① 이번 주에는 무엇을 공부할까? ❶, ❷

❶에서는 만화를 통해 한 주 동안 학습할 내용에 대해 알아봅
니다. ❷에서는 한 주 동안 학습할 구문을 그림을 통해 미리
보고, 간단한 문제로 워밍업합니다.

② 개념 원리 확인

만화와 예문으로 구문을 살펴본 뒤, 문제를 풀며 알게 된
내용을 확인합니다. 우리말 해석과 비교하며 구문의 구조를
알 수 있도록 구성되어 있어요.

Features

3 기초 유형 연습

문장 완성하기, 우리말로 해석하기 등의 활동을 통해 배운 내용을 확실히 짚고 넘어갈 수 있습니다.

4 누구나 100점 테스트

연합학력평가, 모의평가, 수능 기출 지문에서 엄선한 문장을 통해 실전 구문을 맛볼 수 있습니다. 간단한 퀴즈도 풀어 보며 문장에 대한 이해력을 키워 보세요.

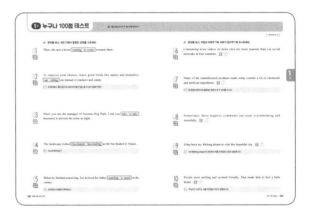

5 창의 · 융합 · 코딩

한 주 동안 배운 내용을 정리하여 복습한 뒤, 재미있는 문제로 실력을 다질 수 있습니다. 5일 간 배운 내용을 가벼운 마음으로 되짚어 보는 시간입니다.

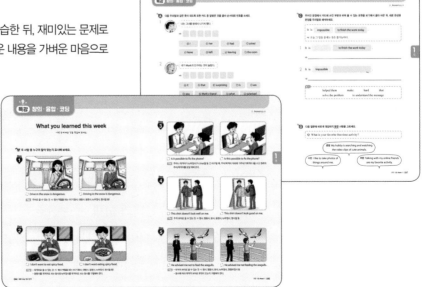

이 책의 차례

하루 수능 영어 영역 구문 기초 편 차례를 확인하세요!

Contents

구문의 기초 | 문장의 형식

문장의 5형식!

영어 문장은 크게 다섯 가지 구조로 나눌 수 있습니다.
주어, 동사, 목적어, 보어가 문장 구조를 만드는 기본 요소입니다.

1형식

주어 + 동사 + 부사구

She   lives   here.

- 1형식 동사: be동사, live, go, come, arrive 등 존재, 왕래를 나타내는 동사
- 의미를 보충하기 위해 동사 뒤에 부사구가 올 수 있다.
- 「There + be동사 + 주어 」도 1형식 문장이다.

2형식

주어 + 동사 + 보어

He   got   tired.

- 2형식 동사: be동사, become, get, turn, keep, stay 등 상태·상태의 변화를 나타내는 동사, 감각동사 등
- 동사 뒤에 주어를 설명하는 주격 보어가 온다.
- 감각동사(look, sound, smell, taste, feel 등)가 쓰이면 주격 보어로는 형용사가 온다.

3형식

주어 + 동사 + 목적어

We   like   swimming.

주어	동사가 나타내는 동작·상태의 주체가 되는 말
동사	주어가 하는 동작이나 주어의 상태를 나타내는 말
보어	주어나 목적어를 보충해서 설명하는 말
목적어	동사가 나타내는 행위의 대상이 되는 말

4형식

주어	+	동사	+	간접목적어	+	직접목적어
I		brought		her		some water.

→ I brought some water to her. (3형식)

- 4형식 동사: give, make, tell, bring, show, send, teach, lend, ask 등
- 「 간접목적어 에게 직접목적어 를 ~해 주다」로 해석한다.
- 4형식 → 3형식: 「주어 + 동사 + 직접목적어 + 전치사 + 간접목적어 」로 바꿔 쓸 수 있다. 이때 문장의 형식은 3형식이다.

5형식

주어	+	동사	+	목적어	+	목적격 보어
You		made		me		happy.

- 목적격 보어는 목적어를 설명하는 말로, 주로 명사 또는 형용사를 쓴다.
- 목적격 보어로 to부정사가 오면 목적어가 하는 동작을 나타낸다.
- 사역동사(have, let, make)가 쓰이면 목적격 보어로는 원형부정사를 쓴다.
- 지각동사(see, watch, hear, feel, listen to 등)가 쓰이면 목적격 보어로는 원형부정사나 현재분사를 쓴다.

Week 1

이번 주에는 무엇을 공부할까? ❶

Quiz

1 '나는 학교에 걸어간다.'에서 '나는'은 다음 중 무엇일까요?

① 주어 　　　　② 목적어 　　　　③ 보어

2 '나는 우산을 샀다.'에서 '우산을'은 다음 중 무엇일까요?

① 주어 　　　　② 목적어 　　　　③ 보어

I + walk ⇒ I walk.
주어 동사 나는 걷는다.

* 주어 : 동작이나 상태의 주체 동사 : 주어의 동작이나 상태를 나타내는 말

I drink + water ⇒ I drink water.
동사 목적어 나는 물을 마신다.

* 목적어 : 동사가 나타내는 행위의 대상이 되는 말

• Answers p. 1

TWIN

1 다음 문장을 읽고, 카드 안의 말이 '주어'인지 '목적어'인지 아래에 쓰세요.

(1) The horse runs fast.
[   ]

(2) The children caught a rabbit .
[   ]   [   ]

(3) Someone called my name in a low voice.
[   ]   [   ]

This movie   is   boring   ⇒   This movie is boring.
주어   주격 보어   이 영화는 지루하다.

＊ 주격 보어 : 주어를 보충해서 설명하는 말

I found   the movie   boring   ⇒   I found the movie boring.
목적어   목적격 보어   나는 그 영화가 지루하다는 것을 알게 되었다.

＊ 목적격 보어 : 목적어를 보충해서 설명하는 말

• Answers p. 1

2 다음 문장을 읽고, 카드 안의 말이 '주격 보어'인지 '목적격 보어'인지 아래에 쓰세요.

(1) Emily and Eugene were   scared   .

                                          [   ]

(2) My friends called him   Uncle Danny   .

                                          [   ]

(3) The milk in the bottle went   bad   .

                                          [   ]

1
주

주어: 명사, 대명사

- '주어'는 동작이나 상태의 주체가 되는 말로, 명사 역할을 하는 어구가 쓰인다. 명사와 대명사 등이 주어 자리에 올 수 있다.

❶ My cat always sits on that cushion.

❷ This cushion feels so soft. I like it.

❸ This cordless vacuum cleaner is not noisy.

❹ Who is cleaning now?

❶ 내 고양이는 항상 저 쿠션 위에 앉아. ❷ 이 쿠션은 참 부드럽게 느껴져. 난 이게 좋아.
❸ 이 무선 진공청소기는 시끄럽지 않아. ❹ 누가 지금 청소를 하는 거야?

주어: 명사, 대명사

- 주어는 **동작·상태의 주체가 되는 말**로 주로 **동사 앞**에 오며, '~은/는/이/가'로 해석한다.
- **명사**와, 명사에 관사나 수식어구가 붙은 **명사구**가 주어로 쓰인다.
- **대명사**도 주어로 쓰인다.
  : 주격 인칭대명사(I, you, she, they, ...), 지시대명사(this, that, ...), 의문대명사(what, who, ...), 부정대명사(one, some, any, ...) 등

1 다음 문장을 끊어서 해석해 보고, 우리말로 바르게 옮긴 것을 고르세요.

(1) Trees / need / sunshine and rain / in this season.

☐ 나무와 햇빛, 비가 이 계절에 필요하다.

☐ 나무는 이 계절에 햇빛과 비를 필요로 한다.

(2) He / raised / some horses and cows / in his farm.

☐ 그는 농장에서 말과 소 몇 마리를 길렀다.

☐ 그에게 농장에 사는 말과 소 몇 마리를 기르게 했다.

(3) The girl / in a blue shirt / is / my sister.

☐ 파란 셔츠를 입은 그 소녀는 내 여동생이다.

☐ 그 소녀는 내 여동생의 파란 셔츠를 입고 있다.

2 다음 문장에서 주어를 찾아 동그라미를 치고 해석을 완성하세요.

(1) Fred and you lied to me several times.

➡ _____ 나에게 여러 번 거짓말을 했다.

(2) Who reached the North Pole first?

➡ _____ 북극에 처음으로 도달했지?

(3) Those blue birds will fly away when the winter comes.

➡ _____ 겨울이 오면 날아갈 것이다.

Words

raise 기르다, 사육하다   lie 거짓말하다   reach 이르다, 도달하다   the North Pole 북극

Day 1
주어: 동명사, to부정사, 명사절

하루 구문

• 동명사와 to부정사, 명사절은 명사 역할을 하므로 주어로 쓸 수 있다.

❶ Walking my dog is one of my favorite jobs.

❷ To walk with my owner is my routine.

❸ What makes me happy is my dog.

❹ Eating snacks makes me happy.

❶ 내 개를 산책시키는 것은 내가 가장 좋아하는 일 중의 하나야.　❷ 내 주인과 산책하는 것은 내 일과야.
❸ 나를 행복하게 만들어 주는 건 내 개야.　❹ 간식을 먹는 건 나를 행복하게 만들어.

하루 개념

주어: 동명사, to부정사, 명사절
p. 24 가주어 it 참조

• **동명사(구)**와 **to부정사(구)**를 주어로 쓸 수 있다.
• **명사절**을 주어로 쓸 수 있다.
　: 「that+주어+동사」, 「what+주어+동사」, 「whether+주어+동사」, 「의문사+주어+동사」 등
• 주어로 쓰인 동명사(구), to부정사(구), 명사절은 **단수**로 취급한다.

1 다음 문장을 끊어서 해석해 보고, 우리말로 바르게 옮긴 것을 고르세요.

(1) To tell / the truth / is good / for all of us.

☐ 진실을 말하는 것이 우리 모두에게 좋다.

☐ 진실을 말해야 좋다는 것을 우리 모두 알고 있다.

(2) Walking / in the sun / caused / a headache.

☐ 햇볕을 쬐며 걷는 것이 두통을 일으켰다.

☐ 햇볕을 쬐며 걷고 있을 때 두통을 느꼈다.

(3) What I knew / about the man / was not true / at all.

☐ 내가 알고 있던 것은 그 남자가 전혀 진실되지 않았다는 것이었다.

☐ 내가 그 남자에 대해 알고 있던 것은 전혀 사실이 아니었다.

2 우리말을 참고하여 주어에 밑줄을 친 뒤, 동사의 형태로 알맞은 것을 고르세요.

(1) Putting a message in a bottle (was / were) his idea.

➡ 병 속에 메시지를 넣은 것은 그의 아이디어였다.

(2) To do magic tricks always (make / makes) children happy.

➡ 마술 속임수를 쓰는 것은 항상 아이들을 기쁘게 만든다.

(3) Recycling plastic items (help / helps) the environment.

➡ 플라스틱 제품을 재활용하는 것은 환경에 도움이 된다.

Words

cause 일으키다   trick 속임수   recycle 재활용하다

A 괄호 안의 어구를 배열하여 우리말과 같은 문장을 완성하세요.

1 누구나 우리 동아리에 가입할 수 있다.

(join, can, anyone, our club)

2 흰 모자를 쓴 남자가 문 앞에 서 있었다.

(a man, in front of, was standing, with a white hat, the door)

3 정원의 꽃들은 지난봄에 심어졌다.

(last spring, in the garden, were planted, the flowers)

4 그와 그의 친구는 그들의 고향으로 돌아갔다.

(he, returned, and his friend, their hometown, to)

꾸미는 말, 즉 수식어가 붙어서 주어가
길어지는 경우에 유의하세요.

Answers p. 1

B 주어에 밑줄을 치고 우리말로 해석하세요.

1 Wearing a seat belt keeps you safe.

2 That water boils at 100°C is not always true.

3 To make fires in the mountain is not allowed.

4 Making plans for the weekend feels great.

to부정사가 주어, 보어, 목적어와 같은 명사 역할을 할 때 이를 명사적 용법이라고 합니다.

Words

join 합류하다, 가입하다   plant 심다   hometown 고향   boil 끓다   allow 허락하다, 허용하다

목적어: 명사, 대명사

하루 구문

- 동사가 나타내는 행위의 대상이 되는 말을 '목적어'라고 하며, 명사 역할을 하는 어구가 쓰인다. 명사와 대명사 등이 동사의 목적어로 쓰일 수 있다.

❶ I first met my dog on the street on a rainy day.

❷ I wanted some food and a house then.

❸ I bought this cute T-shirt for you! Do you like it?

❹ Oh, I don't need a T-shirt! Just bring me my favorite snack!

덜덜...

❶ 나는 비 오는 날 길에서 내 개를 처음 만났다. ❷ 그때 난 먹을 것과 집을 원했어.
❸ 내가 널 위해 이 귀여운 티셔츠를 샀어! 맘에 들어? ❹ 오, 난 티셔츠는 필요 없어! 내가 좋아하는 간식이나 갖다줘!

하루 개념

목적어: 명사, 대명사

- 목적어는 **동사가 나타내는 행위의 대상이 되는 말**이며, '~을/를'로 해석한다.
- **명사(구)**와 **대명사**를 동사의 목적어로 쓸 수 있다.
- 「주어＋동사＋간접목적어＋직접목적어」 구조의 4형식 문장에서 간접목적어는 '~에게'로, 직접목적어는 '~을/를'로 해석한다.
  * 4형식 문장에 쓰이는 동사: give, show, tell, bring, send, make, buy 등

1 영어와 우리말에서 각각 목적어를 찾아 동그라미를 치세요.

(1) She told me some nice ideas.

➡ 그녀는 내게 멋진 방안 몇 개를 말해 주었다.

(2) We will prepare 100 bottles of water for runners.

➡ 우리는 주자들을 위해 물 100병을 준비할 것이다.

(3) This morning I took some pictures of the sunrise.

➡ 오늘 아침에 나는 일출 사진 몇 장을 찍었다.

2 다음 문장의 빈칸에 어울리지 <u>않는</u> 것을 고르세요.

(1) I saw _____ on TV last night.

① of you　　　　② the singer　　　　③ an ad for the car

(2) He cut _____ on the cutting board.

① some bread　　② too sweet　　　③ an apple pie

(3) Did you find _____ in the attic?

① collect　　　　② the old books　　③ any clue

(4) My sister sent me _____ for my birthday.

① a cake　　　　② interesting　　　③ beautiful flowers

Words

prepare 준비하다　sunrise 일출　cutting board 도마　attic 다락　clue 증거

2 Day 목적어: 동명사, to부정사, 명사절

하루 구문

- 동사의 목적어로 명사 역할을 하는 어구를 써야 하므로, 동명사, to부정사, 명사절 등이 목적어로 쓰일 수 있다.

Science Report

❶ Did you finish writing the science report?

❷ No, but I'm planning to finish it today.

❹ I don't remember what I said yesterday.

Science Report

❸ You said that you would finish the report yesterday.

❶ 너 과학 보고서 쓰는 것 끝냈어?   ❷ 아니, 하지만 오늘 그걸 끝내려고 계획하고 있어.
❸ 너 어제 보고서 끝낼 거라고 말했잖아.   ❹ 내가 어제 뭐라고 말했는지 기억 안 나.

하루 개념

목적어: 동명사, to부정사, 명사절

- **동명사(구)**와 **to부정사(구)**는 동사의 목적어로 쓸 수 있다.

정답과 해설 p. 2 참조

동명사가 목적어로 오는 동사	avoid, enjoy, finish, keep, mind, quit, stop 등
to부정사가 목적어로 오는 동사	agree, decide, expect, hope, plan, refuse, want 등
둘 다 목적어로 오는 동사	begin, continue, like, love, hate, start 등

- **명사절**이 동사의 목적어 자리에 올 수 있다.
  : 「that+주어+동사」, 「what+주어+동사」, 「if/whether+주어+동사」, 「의문사+주어+동사」 등

1 다음 문장을 우리말로 바르게 옮긴 것을 고르세요.

(1) We expect to meet you again soon.

☐ 우리는 당신을 곧 다시 만나기를 기대합니다.

☐ 우리는 당신을 곧 다시 만나기 위해 기대합니다.

(2) Did you finish reading the novel?

☐ 너는 그 소설 읽는 것을 끝냈니?

☐ 너는 그 소설을 읽으면서 일을 끝냈니?

(3) They believed that the girl was the only witness.

☐ 그들은 그 소녀가 유일한 목격자라고 믿었다.

☐ 그들은 그 소녀를 믿었기에 유일한 목격자가 되어 주었다.

2 다음 문장에서 목적어를 찾아 밑줄을 치고 해석을 완성하세요.

(1) She hopes to travel all around the world with her dog.

➡ 그녀는 그녀의 개와 _____ 바란다.

(2) He didn't understand why his brother liked the movie.

➡ 그는 남동생이 왜 _____ 이해하지 못했다.

(3) I don't mind moving my car to the basement floor.

➡ 나는 지하층으로 _____ 개의치 않는다.

Words

novel 소설   witness 목격자, 증인   mind 언짢아하다, 개의하다   basement floor 지하층

A 괄호 안의 어구를 배열하여 우리말과 같은 문장을 완성하세요.

1 당신은 아주 흥미로운 소설을 썼다.

(a, novel, you, very interesting, wrote)

2 그는 그 여성에게 뜨거운 차 한 잔을 가져다주었다.

(he, the woman, hot tea, brought, a cup of)

3 그녀는 그녀의 학생들을 위해 특별한 것을 준비하고 있었다.

(something, for her students, she, was preparing, special)

4 Harry는 설거지를 하던 중에 그릇 몇 장을 깨뜨렸다.

(Harry, he, was washing, some, broke, the dishes, of them)

While _____ .

명사를 꾸미는 어구에 유의하여 목적어가
될 말을 찾아 보세요.

B 표시된 동사의 목적어에 밑줄을 치고 해석하세요.

1 Marie quit drinking soda last year.

2 The police felt that the man knew the truth.

3 I wonder whether the children can reach their home safely.

4 The president wanted to win the election once more.

동작의 대상이 되는 것이 목적어라는 것을
기억하면 쉬워요.

Words

quit 그만두다   soda 탄산음료   election 선거   once more 다시 한번

3 Day 가주어 it

하루 구문

- 주어가 명사절이나 to부정사구와 같이 긴 어구일 때, it을 주어 자리에 쓰고 원래 주어를 문장 뒤로 보낼 수 있다.

❶ It's my pleasure to play games on Friday nights.

❷ It is clear that I can't sleep peacefully tonight.

❸ It is a bad habit to get up late on weekends!

❹ Who said that? It's good for teens to get enough sleep!

❶ 금요일 밤에 게임하는 것이 내 즐거움이야.　❷ 오늘 밤에 내가 평화롭게 잘 수 없다는 것이 확실하군.
❸ 주말에 늦게 일어나는 건 나쁜 습관이야!　❹ 누가 그런 말을 했는데? 잠을 충분히 자는 게 십 대들에게 좋다고!

하루 개념 | 가주어 it

- 명사절이나 to부정사구 등 긴 어구가 주어일 때, **주어 자리에 it을 대신 쓰고 명사절이나 to부정사구를 문장의 뒤로** 보낼 수 있다.
- 주어 자리에 대신 쓴 it을 **가주어**, 원래의 주어를 **진주어**라고 한다.
- 가주어 it은 해석하지 않는다.

1 다음 문장에서 진주어를 찾아 밑줄을 치고, 알맞은 해석을 고르세요.

(1) It is true that he is a very good actor.

☐ 그가 아주 훌륭한 배우라는 것은 사실이다.

☐ 그것이 사실이므로 그는 아주 훌륭한 배우이다.

(2) It was good for me to stay home that cold day.

☐ 나는 기분이 좋아서 그 추운 날 집에 머물렀다.

☐ 그 추운 날 집에 머문 것이 내게는 좋았다.

(3) It doesn't take a long time to solve the problem.

☐ 그 문제를 푸는 데 시간이 오래 걸리지 않는다.

☐ 그것은 시간이 오래 걸리지 않지만, 문제를 풀어야 한다.

2 우리말을 참고하여 괄호 안에서 알맞은 표현을 고르세요.

(1) It was difficult for me (to / that) run a half marathon.

➡ 하프마라톤을 뛰는 것은 내게 힘들었다.

(2) It is uncertain (who / that who) will pass the audition.

➡ 누가 그 오디션을 통과할지는 확실하지 않다.

(3) It is helpful (to / that) wear a hat to keep you warm.

➡ 몸을 따뜻하게 유지하려고 모자를 쓰는 것은 도움이 된다.

Words

take ~의 시간이 걸리다   uncertain 불확실한

3 Day
가목적어 it

하루 구문

- 목적어가 명사절이나 to부정사구와 같이 긴 어구일 때, it을 목적어 자리에 쓰고 원래 목적어를 문장의 뒤로 보낼 수 있다.

❶ You will find it pleasant to exercise every day for your health.

❷ No, I've already found it painful to exercise every day.

❸ I believe it possible that everybody does this!

❹ I think it easy to make someone laugh.

❶ 당신의 건강을 위해 매일 운동하는 것이 즐겁다는 걸 알게 될 거예요. ❷ 아니, 전 이미 매일 운동하는 게 고통스럽다는 걸 알았어요.
❸ 전 모든 사람들이 이걸 하는 게 가능하다고 믿어요! ❹ 전 누군가를 웃기는 게 쉬운 것 같아요.

하루 개념

가목적어 it
- 주로 「주어＋동사＋목적어＋목적격 보어」 구조의 문장에서 목적어로 **that절이나 to부정사구** 등이 오면 이를 **문장의 뒤로 보내고 목적어 자리**에 **it**을 대신 쓴다.
  → 「주어＋동사＋**it**＋목적격 보어＋**that절/to부정사구**」
- 목적어 자리에 대신 쓴 it을 **가목적어**, 원래의 목적어를 **진목적어**라고 한다.
- 가목적어 it은 해석하지 않는다.

1 다음 문장에서 진목적어를 찾아 밑줄을 치고, 알맞은 해석을 고르세요.

(1) They consider it important to respect each other.

☐ 그들은 그것을 중요하게 여겨서 서로를 존중한다.

☐ 그들은 서로를 존중하는 것을 중요하게 여긴다.

(2) The students found it useless to follow the rules there.

☐ 학생들은 그곳에서 규칙을 따르는 것이 소용없다는 걸 알았다.

☐ 학생들이 그것을 발견해서 그곳에서 규칙을 따르는 것이 소용없었다.

(3) I think it impossible to make a perfect weather forecast.

☐ 나는 완벽한 날씨 예보를 하는 것이 불가능하다고 생각한다.

☐ 내 생각엔 그것이 불가능하니 완벽한 날씨 예보를 해야 한다.

2 우리말을 참고하여 가목적어 it의 위치로 알맞은 곳을 고르세요.

(1) I thought ① helpful ② to share information ③ with her.

➡ 나는 그녀와 정보를 공유하는 것이 도움이 된다고 생각했다.

(2) Do ① you believe ② right to send ③ those animals to the zoo?

➡ 당신은 그 동물들을 동물원에 보내는 것이 옳다고 믿나요?

(3) The truth only ① makes ② hard ③ that people understand the situation clearly.

➡ 진실은 사람들이 상황을 명확히 이해하는 것을 어렵게 만들 뿐이다.

Words

consider ~이라고 여기다, 생각하다 respect 존중하다 useless 소용없는 share 공유하다

A 괄호 안의 어구를 배열하여 우리말과 같은 문장을 완성하세요. (단, 하나는 필요하지 않음)

1 그 남자가 우리에게 거짓말을 한 것이 명백하다.

(clear, that, so, lied to us, it, is, the man)

2 Bill이 다음 경기에 출전하지 못하는 것이 유감이다.

(to the next game, it, a pity, that, is, are, Bill, can't go)

3 먹기 전에 손을 씻는 것은 좋은 습관이다.

(it, that, wash hands, a good habit, to, is, before eating)

4 그 바이러스를 위한 백신을 개발하는 데에는 시간이 좀 걸릴 것이다.

(it, some time, for the virus, to, will take, develop, that, a vaccine)

진주어가 되는 어구의 형태가
어떨지 잘 생각하세요.

B 진목적어에 밑줄을 치고 우리말로 해석하세요.

1 I thought it difficult to make friends with her.

2 We will make it possible to grow plants in this desert.

3 She considers it wrong that Kyle got the prize.

4 I found it hard that there was nothing I could do.

> 가목적어가 쓰이는 문장은 대부분 「주어+동사 +it+목적격 보어+that절/to부정사구」 형태 라는 것을 기억하세요.

Words

pity 유감, 동정   develop 개발하다   vaccine (예방) 백신   consider *A B* A를 B라고 여기다

Day 4 주격 보어: 명사, 동명사, to부정사, 명사절

하루 구문

- '보어'는 보충해 주는 말로, 명사나 형용사가 쓰인다. 주어를 보충해 주는 말인 '주격 보어'로 명사 역할을 하는 어구가 올 수 있다.

❶ I am always the first one who arrives at the classroom.

❷ My problem is getting up late every day.

❸ My plan for today is to stay awake in class.

❹ Oh, she is the last one again. But she is my best friend.

❶ 나는 항상 교실에 첫 번째로 도착하는 사람이야. ❷ 내 문제는 매일 늦게 일어난다는 거지.
❸ 오늘 내 계획은 수업 시간에 깨어 있는 거야. ❹ 오, 그녀는 또 마지막으로 오는 사람이구나. 하지만 그녀는 내 가장 친한 친구야.

하루 개념 | 주격 보어: 명사, 동명사, to부정사, 명사절

- 주격 보어는 **주어를 보충해 주는 말**로, 「주어+동사+주격 보어」의 **2형식 문장**에 쓰인다.
- 주격 보어로 명사 역할을 하는 어구, 즉 **명사(구)**, **동명사(구)**, **to부정사(구)**, **명사절** 등이 쓰일 수 있다.
- **be동사**나 **become** 등의 동사 뒤에 주격 보어로 명사(구)가 오면 '~이다, ~이 되다'라는 의미이다.
- 주격 보어로 쓰이는 동명사(구), to부정사(구), 명사절은 **be동사 뒤**에 온다.

1 우리말을 참고하여 주격 보어에 밑줄을 치세요.

(1) Our choice was to search information about him.

➡ 우리의 선택은 그에 관한 정보를 검색하는 것이었다.

(2) Is this umbrella what you are looking for?

➡ 이 우산이 네가 찾고 있는 것이니?

(3) The woman in the cab was a famous artist.

➡ 택시 안의 그 여자는 유명한 화가였다.

(4) You will become a member of our team in the end.

➡ 너는 결국에는 우리 팀의 멤버가 될 것이다.

2 우리말을 참고하여 괄호 안에서 알맞은 표현을 고르세요.

(1) My job here is (taking / for taking) customers' orders.

➡ 이곳에서의 내 일은 손님의 주문을 받는 것이다.

(2) Their concern is (that / whether) a new museum will be built or not.

➡ 그들의 관심사는 새 박물관이 지어질지 아닐지이다.

(3) One cool thing about her was (that / to) she could handle all kinds of tools.

➡ 그녀의 멋진 점 한 가지는 그녀가 모든 종류의 도구를 다룰 수 있다는 것이었다.

Words

in the end 결국에는   customer 고객, 손님   concern 우려, 관심사   handle 다루다   tool 도구

Day 4 주격 보어: 형용사, 분사

하루 구문

- 주격 보어로 형용사를 쓸 수 있다. 현재분사와 과거분사 또한 형용사처럼 주격 보어 역할을 할 수 있다.

❶ You look exhausted already.

❷ Right. My legs feel heavy. Can we take a break for a while?

❸ Don't worry. I'll pick you up.

VET CLINIC

❹ Oh, I got better now! I am perfectly healthy! Let's go home!

❶ 너 벌써 지쳐 보여.　❷ 맞아. 다리가 무겁게 느껴져. 잠깐 쉴 수 있을까?
❸ 걱정하지 마. 내가 널 들어줄게.　❹ 오, 나 이제 좋아졌어! 난 완벽하게 건강해! 집에 가자!

 하루 개념 주격 보어: 형용사, 분사

p. 98 분사 형용사 참조

- 주격 보어로 **형용사**가 쓰일 수 있다. 주로 다음과 같은 동사 뒤에서 주어의 상태를 설명한다.

상태를 나타내는 동사(be, keep, remain, stay 등)	
상태의 변화를 나타내는 동사(become, get, grow, go, turn 등)	+형용사
감각동사(feel, look, sound, taste, smell 등)	

- **현재분사**와 **과거분사**도 형용사와 같은 역할을 하여 주격 보어로 쓰일 수 있다. 현재분사는 '~하는(**능동·진행**)'의 의미, 과거분사는 '~된(**수동·완료**)'의 의미이다.

1 우리말을 참고하여 괄호 안에서 알맞은 표현을 고르세요.

(1) These days I get (tire / tired) easily.

➡ 요즘 나는 쉽게 피곤해진다.

(2) Did the yogurt go (bad / badly)?

➡ 그 요구르트는 상했니?

(3) These cookies smell (sweet / sweetly).

➡ 이 쿠키들은 달콤한 냄새가 난다.

(4) His voice on the phone sounded (pleasing / pleased).

➡ 전화에서 그의 목소리는 즐겁게 들렸다.

2 다음 문장에서 보어를 찾아 동그라미를 치고 해석을 완성하세요.

(1) I remained silent because I didn't know anything.

➡ 나는 아무것도 몰랐기 때문에 _____.

(2) When he saw Mr. Evans, his face turned pale.

➡ 그가 Evans 씨를 보았을 때, 그의 얼굴은 _____.

(3) The result of the survey was shocking to me.

➡ 그 설문의 결과는 내게 _____.

Words

tire 피로하게 만들다 please 즐겁게 하다 remain ~한 채로 있다 pale 창백한 survey 설문 shock 충격을 주다

Day 4 기초 유형 연습

주격 보어: 명사, 동명사, to부정사, 명사절

A 괄호 안의 어구를 배열하여 우리말과 같은 문장을 완성하세요.

1 내 요점은 우리가 시간을 낭비하고 있다는 것이다.

(my point, time, are wasting, is, that, we)

2 그 단체의 목표는 10,000달러 이상 모금하는 것이다.

(to raise, than, more, the organization's, 10,000 dollars, goal, is)

3 당신의 문제가 우리의 것이 될 수 있다.

(ours, your problem, become, can)

4 그의 취미는 좋아하는 영화의 장면을 그리는 것이다.

(drawing, his hobby, his favorite movies, is, the scenes, from)

TiP 주격 보어는 주어를 설명하는 말입니다. 주어가 '무엇'인지, 또는 '어떤 상태'인지 나타냅니다.

B 다음 문장을 우리말로 해석하세요.

1 The road near the house remains unpaved.

2 His speedy recovery was surprising to everyone.

3 The expression sounds a little awkward.

4 Will the laptop become cheaper after months?

Words

point 요점 raise 모금하다 organization 단체 unpaved (도로가) 포장되지 않은 speedy 빠른 recovery 회복
expression 표현 awkward 어색한, 이상한

5 ^{Day} 목적격 보어: 명사, 형용사

하루 구문

- 목적어를 보충하는 말을 '목적격 보어'라고 한다. 명사와 형용사가 목적어 뒤에 와서 목적격 보어 역할을 할 수 있다.

❶ I'll make you a cat model.

❷ No, leave me alone!

❸ They will choose you the next model for their cat food.

❹ I found this a little exciting.

❶ 난 너를 고양이 모델로 만들 거야.   ❷ 안 돼, 날 혼자 내버려 둬!
❸ 그들은 그들의 고양이 사료를 위한 다음 모델로 너를 선택할 거야.   ❹ 난 이게 조금 신난다는 걸 알았어.

하루 개념 | 목적격 보어: 명사, 형용사

- 목적격 보어는 **목적어를 보충하는 말**로, 「주어+동사+목적어+목적격 보어」의 **5형식 문장**에 쓰인다.
- 목적격 보어로 **명사**나 **형용사**를 쓸 수 있다. 이때 동사는 make, name, call, choose, keep, find, leave 등이 온다.
- 목적어 뒤에 목적격 보어로 명사가 오면 **'(목적어)를 ~으로, ~이라고'**로 해석하고, 형용사가 오면 **'(목적어)를 ~하게, (목적어)가 ~하다고'**로 해석한다.

개념 원리 확인 ①

📗 Answers p. 4

1 다음 문장에서 목적격 보어를 찾아 동그라미를 치고 해석을 완성하세요.

(1) The police kept those residents safe.

➡ 경찰은 그 거주민들을 _____ 지켰다.

(2) The boy called his dog Buddy.

➡ 소년은 그의 개를 _____ 불렀다.

(3) Years of practice made her a winner.

➡ 몇 년 간의 연습이 그녀를 _____ 만들어 주었다.

(4) The hotel left some of the rooms empty.

➡ 호텔 측은 객실 중 일부를 _____ 두었다.

2 우리말을 참고하여 괄호 안의 표현을 순서대로 쓰세요.

(1) I found _____.

(his suggestion, interesting)

➡ 나는 그의 제안이 흥미롭다는 걸 알았다.

(2) They named _____.

(Mr. Darwin, the turtle)

➡ 그들은 그 거북이를 Darwin 씨라고 이름 붙였다.

(3) Amy wanted to make _____.

(a lawyer, her daughter)

➡ Amy는 그녀의 딸을 변호사로 만들고 싶어 했다.

Words

resident 주민, 거주민   suggestion 제안, 의견   name 이름을 붙이다   lawyer 변호사

목적격 보어: to부정사, 원형부정사, 분사

하루 구문

- 목적어 뒤에 to부정사, 원형부정사, 분사가 와서 목적격 보어 역할을 할 수 있다.

❶ Today I saw him walking to the dentist.

❷ I will have my rotten tooth pulled today.

❸ I want you to raise your hand when you experience discomfort.

❹ Now! Now!

하아...

❶ 오늘 나는 그가 치과로 걸어가는 것을 봤다.　❷ 난 오늘 충치를 뺄 거야.
❸ 전 환자분이 불편함을 느끼시면 손을 드시길 원해요.　❹ 지금이요! 지금!

하루 개념

목적격 보어: to부정사, 원형부정사, 분사

- **to부정사**와 **원형부정사**는 다음과 같이 목적격 보어로 쓰인다.

want, ask, tell, allow, advise, ...+목적어+to부정사	(목적어)가 ~하기를 …하다
지각동사(see, watch, hear, feel, ...)+목적어+원형부정사[현재분사]	(목적어)가 ~하는 것을 …하다
사역동사(have, make, let)+목적어+원형부정사	(목적어)가 ~하게 시키다/허락하다

- 현재분사와 과거분사를 목적격 보어로 쓸 수 있다. **현재분사**는 '**능동·진행**'의 의미이고, **과거분사**는 '**수동·완료**'의 의미로 쓰인다.

1 우리말을 참고하여 괄호 안에서 알맞은 표현을 고르세요.

(1) My father asked me (feed / to feed) the dogs today.

➡ 아버지는 내게 오늘 개들에게 먹이를 주라고 부탁하셨다.

(2) I heard someone (call / to call) my name.

➡ 나는 누군가 내 이름을 부르는 것을 들었다.

(3) The teacher let the students (play / playing) outside.

➡ 선생님은 학생들이 밖에서 놀게 해 주었다.

(4) Please allow us (entering / to enter) the stadium.

➡ 우리가 경기장에 들어가도록 허락해 주세요.

2 괄호 안의 말을 알맞은 형태로 바꾸어 문장을 완성하세요.

(1) The parents watched their children _____ baseball. (play)

➡ 부모들은 자녀들이 야구를 하는 것을 지켜보았다.

(2) I'll tell Chris _____ to his friends. (apologize)

➡ 나는 Chris에게 그의 친구들에게 사과하라고 말할 것이다.

(3) Did you have your hair _____? (dye)

➡ 너는 머리를 염색했니?

Words

feed 먹이를 주다   stadium 경기장   apologize 사과하다   dye 염색하다

5 **Day**
기초 유형 연습

A 괄호 안의 어구를 배열하여 우리말과 같은 문장을 완성하세요.

1 우리는 이 탑을 '평화의 탑'이라고 부를 것이다.

(call, we, this tower, "Tower of Peace", will)

2 내 개를 차 안에서 어떻게 차분하게 할 수 있을까?

(how, I, keep, in the car, can, my dog, calm)

3 우리는 창문을 열어 두어야 한다.

(should, the windows, we, open, leave)

4 나는 그 집이 오래됐지만 깔끔하다는 것을 알았다.

(found, I, old, the house, but tidy)

목적격 보어가 명사라면 '목적어 = 목적격 보어'이고,
형용사라면 목적어의 상태나 성질을 설명해 줍니다.

B 괄호 안의 어구를 배열하여 우리말과 같은 문장을 완성하세요.

1 그는 나에게 끓는 물에 소금을 좀 넣으라고 말했다.

(told, in the boiling water, he, me, to put, some salt)

2 그 어머니는 아들이 밖에서 소리치는 것을 들어서 나갔다.

(shouting outside, the mother, her son, heard)

, so she went out.

3 그 개는 배고픈 참새들이 자신의 먹이를 먹게 해 주었다.

(those hungry sparrows, the dog, eat, let, his food)

4 Eliot 씨는 그 프로젝트가 가능한 한 빠르게 완료되게 했다.

(the project, Ms. Eliot, had, as possible, completed, as soon)

Words

calm 고요한, 침착한   open 열려 있는   tidy 깔끔한   boiling 끓는   sparrow 참새   complete 완료하다

// 문장을 읽고, 네모 안에서 알맞은 표현을 고르세요.

01 Then, she saw a horse coming / to come towards them.

02 To improve your choices, leave good foods like apples and pistachios sat / sitting out instead of crackers and candy.

Q 위 문장에서 '좋은 음식'과 대비시켜 '좋지 않은 음식'으로 언급된 것은?

03 Since you are the manager of Vuenna Dog Park, I ask you take / to take measures to prevent the noise at night.

04 The landscape looked fascinated / fascinating as the bus headed to Alsace.

Q 버스의 목적지는?

05 When he finished practicing, Joe noticed his father standing / to stand in the corner.

Q 위 문장의 주절에서 목적어는?

// 문장을 읽고, 어법상 바르면 T에, 바르지 않으면 F에 표시하세요.

06 학평응용
Consuming news videos on news sites are more popular than via social networks in four countries. **T** [F]

07 학평응용
Many of the manufactured products made today contain a lot of chemicals and artificial ingredients. **T** [F]

Q 위 문장의 목적어에 해당하는 부분의 첫 두 단어를 쓰시오.

08 학평응용
Sometimes, these negative comments can seem overwhelming and stressfully. **T** [F]

09 모의응용
It has been my lifelong dream to visit this beautiful city. **T** [F]

Q 'my lifelong dream'이 의미하는 바를 우리말로 간단히 설명하시오.

10 학평응용
People were smiling and seemed friendly. That made him to feel a little better. **T** [F]

Q 'That'이 가리키는 바를 우리말로 간단히 설명하시오.

What you learned this week

이번 주에 배운 것을 복습해 보세요.

☑ 두 사람 중 누구의 말이 맞는지 표시해 보세요.

Day 1

☐ Drive in the snow is dangerous.

☐ Driving in the snow is dangerous.

> **Tip** 주어로 올 수 있는 것 ⇒ 명사 역할을 하는 어구 (명사, 대명사, 동명사, to부정사, 명사절 등)

Day 2

☐ I don't want to eat spicy food.

☐ I don't want eating spicy food.

> **Tip** • 목적어로 올 수 있는 것 ⇒ 명사 역할을 하는 어구 (명사, 대명사, 동명사, to부정사, 명사절 등)
> • 동명사를 목적어로 쓰는 동사와 to부정사를 목적어로 쓰는 동사를 구별해야 한다.

☐ Is it possible to fix the phone?　　☐ Is this possible to fix the phone?

Tip 주어나 목적어가 to부정사구나 that절 등 긴 어구일 때, 주어/목적어 자리에 가주어/가목적어 it을 쓰고 원래의 주어/목적어를 문장 뒤에 쓴다.

☐ This shirt doesn't look well on me.　　☐ This shirt doesn't look good on me.

Tip 주격 보어로 올 수 있는 것 ➡ 명사, 형용사, 분사, 동명사, to부정사, 명사절 등

☐ He advised me not to feed the seagulls.　　☐ He advised me not feeding the seagulls.

Tip • 목적격 보어로 올 수 있는 것 ➡ 명사, 형용사, 분사, to부정사, 원형부정사 등
　　• 동사에 따라 목적격 보어로 무엇이 오는지 구별해야 한다.

구문 기초 Week 1 | **045**

A 다음 우리말과 같은 뜻이 되도록 표현 카드 중 알맞은 것을 골라 순서대로 번호를 쓰세요.

1

> 나는 그녀를 방에서 나가게 했다.

➡ ☐ ☐ ☐ ☐ ☐

❶ I ❷ her ❸ had ❹ asked

❺ leave ❻ left ❼ leaving ❽ the room

2

> 네가 Mark의 친구라는 것이 놀랍다.

➡ ☐ ☐ ☐ ☐ ☐ ☐ ☐

❶ it ❷ that ❸ surprising ❹ is ❺ are

❻ you ❼ Mark's friend ❽ what ❾ surprised

B 다음 문장의 빈칸에 들어갈 수 있는 말에 <u>모두</u> 표시하세요.

1 Why do those people remain _____?

☐ silent ☐ miss ☐ doubtful ☐ curious

2 The teacher made him _____.

☐ angry ☐ happily ☐ to read the story aloud

☐ write his name ☐ running around the ground ☐ a good student

Answers p. 6

C 주어진 문장에서 카드에 쓰인 부분과 바꿔 쓸 수 있는 표현을 보기에서 골라 바꾼 뒤, 새로 완성된 문장을 우리말로 해석하세요.

> It is impossible   to finish the work today .
>
> ➡ 오늘 그 일을 끝내는 것은 불가능하다.

1 It is ▨▨▨▨   to finish the work today .

   ➡ _____

2 It is impossible _____ .

   ➡ _____

> **보기**
>
> helped them   make   hard   that
> solve the problem   to understand the message

D 다음 질문에 바르게 대답하지 <u>못한</u> 사람을 고르세요.

> **Q** What is your favorite free-time activity?

준영 My hobby is searching and watching the video clips of cute animals.

수민 I like to take photos of things around me.

주현 Talking with my online friends are my favorite activity.

E 각 사람이 하는 말과 일치하도록 알맞은 카드를 두 개씩 골라 문장을 완성하세요.

1 전 세계를 여행하는 것은 내 꿈 중의 하나야.

➡ _____

2 Judy가 시험에서 부정행위를 한 것은 매우 실망스럽다.

➡ _____

3 꽃에 물을 주는 것은 내 일과가 되었다.

➡ _____

4 누가 이 상자를 여기 두었는지 나는 모른다.

➡ _____

is one of my dreams	I don't know
who put this box here	watering the flowers
it is so disappointing	traveling all around the world
has become my routine	that Judy cheated on the exam

F 가주어를 이용하여 주어진 문장을 다시 쓰세요.

1 To read the book in an hour is not easy for me.

⇒ _____

2 That you don't know this famous song is surprising.

⇒ _____

3 To bake the bread fully will take about 40 minutes.

⇒ _____

G 다음을 읽고, 빈칸에 알맞은 말을 보기에서 골라 쓰세요.

1 The end of the story was _____. The readers were _____.

보기
shock   shocking   shocked

2 You look so _____. Is that movie so _____?

보기
bore   boring   bored

3 The events were _____. I think all the guests were _____.

보기
satisfy   satisfying   satisfied

Quiz

1 다음을 읽고, 빈칸에 알맞은 말을 쓰세요.

> 심바는 1년 전에 수아네 집에 왔다. 심바는 지금도 수아네 집에 산다.
>
> ➜ 심바는 지금 _____ 동안 수아네 집에 _____ 있다.

2 ___(A)___ 는 ___(B)___ 보다 행위의 대상을 강조합니다. (A)와 (B)에 각각 알맞은 문장은 무엇일까요?

> ⓐ 수아는 심바를 사랑한다.　　ⓑ 심바는 수아에게 사랑받는다.

과거에 일어나고 있던 일: 과거진행 ⌐   ⌐ 지금 일어나고 있는 일: 현재진행

At noon, Jia was playing the piano. Now Jiu is playing the piano.

정오에, 지아는 피아노를 치고 있었다.   지금은 지우가 피아노를 치고 있다.

❶ The bus has already left. 현재까지 영향을 미치는 과거의 일: 현재완료

버스가 이미 떠났다.

❷ When I arrived at the bus stop, the bus had already left. 과거완료: 과거 시점보다 더 앞선 과거의 일

내가 버스 정류장에 도착했을 때, 버스는 이미 떠났다.

• Answers p. 7

TWIN 1 다음을 읽고, 카드 안에서 알맞은 말을 고르세요.

(1) Sera is / was working as a nurse in New York now.

(2) Sera is / was working as a nurse in California then.

(3) I have no money because I have / had spent it all.

(4) I had no money because I have / had lost my wallet.

❶ They **might** get married. 그들은 결혼할지도 모른다. 약한 추측

❷ They **must have got married!** 그들은 결혼한 게 틀림없어! 강한 추측

❸ They **cannot have got married.** 그들은 결혼했을 리가 없는데. 강한 부정의 추측

Tom   waters   the flowers   every day. Tom은 매일 꽃에 물을 준다.
주어(행위자)   동사   목적어(행위의 대상)

➡ **The flowers**   are watered   by **Tom**   every day. 꽃은 매일 Tom에 의해 물이 주어진다.
주어(행위의 대상)   동사 **수동태**   행위자

• Answers p. 7

2 다음을 읽고, 각 카드 안의 말에 해당하는 것을 고르세요.

(1) **The bathroom** is cleaned by **my father** every Saturday.
    [행위자 / 행위의 대상]   [행위자 / 행위의 대상]

(2) **The best singer** of the year is chosen by **viewers** .
    [행위자 / 행위의 대상]   [행위자 / 행위의 대상]

(3) She **must have got up** late this morning.
        [추측 / 후회]

1 **Day** 현재진행, 과거진행

하루 구문

- 현재진행은 현재 진행 중인 동작이나 사건을 나타내고, 과거진행은 과거의 어떤 때에 진행 중이던 동작이나 사건을 나타낸다.

❷ I'm standing in an elevator, and ... oh, it's stuck!

❶ Hey, what are you doing?

❸ The elevator is not moving.

❹ I had a strange dream last night.
❺ I was standing in an elevator.
❻ I was talking to you on the phone.
❼ Then the elevator suddenly stopped and I got stuck.

❶ 안녕, 뭐 하는 중이니?　❷ 나는 엘리베이터 안에 서 있어, 근데… 아, 멈췄어!　❸ 엘리베이터가 움직이지 않아.　❹ 나는 어젯밤에 이상한 꿈을 꿨어.
❺ 나는 엘리베이터 안에 서 있었거든.　❻ 나는 너와 전화 통화를 하는 중이었어.　❼ 그때 엘리베이터가 갑자기 멈췄고 나는 갇혀 버렸어.

 현재진행, 과거진행

- 현재진행형: 「be동사의 현재형(am, are, is)+현재분사(동사원형-ing)」
  ① **현재 진행 중인 동작이나 사건**을 나타내며 '~하는 중이다, ~하고 있다'라고 해석한다.
  ② 미래의 부사(구)와 함께 쓰여 **가까운 미래**를 나타낼 수 있다.
  ③ 현재의 습관, 반복적인 동작을 나타낼 수 있다.
- 과거진행형: 「be동사의 과거형(was, were)+현재분사(동사원형-ing)」
  – **과거 특정 시점에 진행 중이던 동작이나 사건**을 나타내며 '~하는 중이었다, ~하고 있었다'라고 해석한다.
- * 감정, 소유, 인식, 감각 등을 나타내는 동사는 보통 진행형으로 쓰지 않는다.
  e.g. love, hate, have, own, know, believe, taste 등

1 현재진행 또는 과거진행 표현에 밑줄을 치고, 우리말 해석을 완성하세요.

(1) Ed is taking a shower. He can't answer the phone right now.

　➡ Ed는 _____. 그는 지금 전화를 받을 수 없다.

(2) I was brushing my teeth when the bell rang.

　➡ 초인종이 울렸을 때 나는 _____.

(3) Owen is meeting Ms. Song at six this evening.

　➡ Owen은 오늘 저녁 6시에 송 선생님을 _____.

(4) My parents were watching TV when the electricity went off.

　➡ 나의 부모님은 정전이 됐을 때 _____.

2 괄호 안에서 알맞은 것을 고른 뒤, 우리말 해석을 완성하세요.

(1) What (did / were) you doing at noon yesterday?

　➡ 너는 어제 정오에 _____?

(2) When I last saw Mr. Brown, he (is / was) walking to his car.

　➡ 내가 마지막으로 Brown 씨를 보았을 때 그는 _____.

(3) She drinks coffee every morning. Look, she is (drank / drinking) coffee!

　➡ 그녀는 매일 아침 커피를 마셔. 봐, 그녀가 _____!

(4) I (love / am loving) mystery movies very much.

　➡ 나는 미스터리 영화를 _____.

Words
electricity 전기　**go off** (전기·불 등이) 나가다

현재완료, 과거완료

하루 구문

- 현재완료는 과거의 일이 현재까지 영향을 미칠 때 사용하고, 과거완료는 과거의 특정 시점보다 앞서 일어난 일이 특정 시점까지 영향을 미칠 때 사용한다.

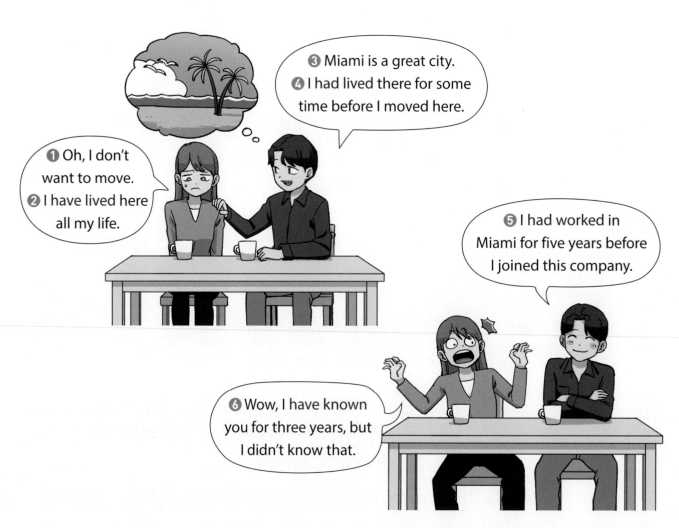

❶ Oh, I don't want to move.
❷ I have lived here all my life.

❸ Miami is a great city.
❹ I had lived there for some time before I moved here.

❺ I had worked in Miami for five years before I joined this company.

❻ Wow, I have known you for three years, but I didn't know that.

❶ 아, 나는 이사 가고 싶지 않아. ❷ 나는 평생을 이곳에서 살아왔는데. ❸ 마이애미는 멋진 도시야. ❹ 여기 이사 오기 전에 나는 그곳에서 한동안 살았거든. ❺ 이 회사에 들어오기 전에 마이애미에서 5년 동안 일했어. ❻ 와, 내가 너를 3년 동안 알았는데, 그건 몰랐어.

하루 개념 — 현재완료, 과거완료

- 현재완료(have[has]+과거분사)와 과거완료(had+과거분사)는 각각 현재나 과거 특정 시점까지 완료되거나 계속된 일, 그 때까지의 결과나 경험을 나타낸다.
- 현재완료는 ago, last, yesterday 등 명확한 **과거 시점을 나타내는 부사구**와 함께 쓸 수 없다.
- 과거완료는 **과거의 어느 시점보다 앞서 일어난 일**을 나타낼 때 쓴다. 단, 접속사 after와 before 등으로 전후 관계가 분명히 나타나면 과거완료 대신 과거 시제를 쓰기도 한다.
- **주절에 과거 시제가 쓰였을 때, 종속절**의 내용이 **그보다 앞서 일어난 일**이면 **과거완료**로 쓴다.

1 우리말을 참고하여 괄호 안에서 알맞은 것을 고르세요.

(1) When I arrived at the bus stop, I discovered that I (have / had) left my wallet at home.

➡ 내가 버스 정류장에 도착했을 때, 나는 내가 지갑을 집에 두고 온 것을 발견했다.

(2) I had already (saw / seen) the movie twice before seeing it tonight.

➡ 나는 그 영화를 오늘 밤에 보기 전에 이미 두 번 봤다.

(3) (Have / Had) you played the violin since you were a child?

➡ 너는 어렸을 때부터 바이올린을 연주해 왔니?

(4) Ms. Scott (had / has had) an accident yesterday.

➡ Scott 씨는 어제 사고를 당했다.

2 우리말을 참고하여 주어진 동사의 알맞은 형태를 빈칸에 쓰세요.

(1) Matt and Ben _____ each other since they were at high school. (know)

➡ Matt와 Ben은 고등학교 때 이후로 서로를 알아왔다.

(2) She _____ soccer well until she was injured. (play)

➡ 그녀는 부상을 당하기 전까지 축구를 잘했다.

(3) I _____ here since I graduated from school. (work)

➡ 나는 학교를 졸업한 이후로 이곳에서 일해 왔다.

Words

discover 발견하다   injured 부상을 입은   graduate from ~을 졸업하다

1 Day 기초 유형 연습

A 괄호 안의 어구를 배열하여 우리말과 같은 문장을 완성하세요.

1 너는 어디로 가는 중이니?

(where / going / you / are)

2 너는 이번 주말에 사촌을 방문할 거니?

(your cousin / this weekend / you / visiting / are)

3 관광객들은 여행 가이드에게 집중하고 있지 않다.

(not / to the tour guide / are / paying attention / the tourists)

4 나는 어젯밤 네가 늦게 집에 왔을 때 잠을 자고 있었다.

(you / was / when / last night / I / sleeping / got home / late)

진행형의 의문문은 be동사를 주어 앞에 쓰고,
진행형의 부정문은 be동사 뒤에 not을 써요.

B 괄호 안의 어구를 배열하여 우리말과 같은 문장을 완성하세요.

1 나는 2020년까지 유럽의 다섯 나라를 방문했다.

(in Europe / been / to five countries / I / by 2020 / had)

2 내가 공항에 도착했을 때 비행기는 떠났다.

(left / the plane / I / got / had / to the airport / by the time)

3 너는 얼마나 오래 영어를 공부해 왔니?

(have / English / how long / you / studied)

4 점심시간 이후로 전화벨이 다섯 번 울렸다.

(the phone / since / rung / lunchtime / has / five times)

완료 시제는 경험, 계속, 완료, 결과 등의 의미를 나타냅니다.

Words

tour guide 여행 가이드   pay attention to ~에 주의를 기울이다   tourist 관광객   lunchtime 점심시간

2 **Day** 조동사 can, may

- 조동사 can은 능력, 가능, 허가 등을 나타내고, may는 추측, 허가 등을 나타낸다.

❶ May I return this book?

❷ Of course. Just a minute.

❸ I can't find this book. Can you help me?

❹ Sure. You can find that book in the "New Arrivals" area.

❶ 이 책을 반납해도 될까요? ❷ 물론이지. 잠깐만.
❸ 이 책을 찾을 수가 없어요. 도와주시겠어요? ❹ 물론이지. 너는 그 책을 '새로 들어온 책' 서가에서 찾을 수 있어.

하루 개념 조동사 can, may

조동사	쓰임	의미	과거형	부정형
can	능력, 가능	~할 수 있다(= be able to)	could	cannot[can't]
	허가	~해도 된다		
	요청	~해 주시겠어요?		
may	약한 추측	~일지도 모른다	might	may not
	허가	~해도 된다		

Answers p. 8

1 우리말을 참고하여 밑줄 친 조동사가 문장에서 어떤 의미를 나타내는지 고르세요.

(1) When I was a child, I <u>could</u> climb trees. ☐ 능력 ☐ 허가

➡ 내가 어렸을 때 나는 나무를 오를 수 있었다.

(2) I'm afraid I <u>can't</u> help you now. ☐ 허가 ☐ 가능

➡ 유감이지만 나는 지금 너를 도울 수 없어.

(3) You <u>may</u> stay here as long as you keep quiet. ☐ 추측 ☐ 허가

➡ 너는 조용히만 하면 여기에 머물러도 된다.

(4) Cancer <u>may</u> be related to viruses of some kind. ☐ 능력 ☐ 추측

➡ 암은 어떤 종류의 바이러스와 관련이 있을지도 모른다.

2 우리말을 참고하여 알맞은 말을 고르세요.

(1) It (can / may) rain during the baseball game.

➡ 야구 경기 동안 비가 내릴지도 모른다.

(2) When I lived in New York, I (can / could) walk to work in five minutes.

➡ 내가 뉴욕에 살았을 때, 나는 5분 안에 걸어서 출근할 수 있었다.

(3) You (may not / not may) park in front of the building.

➡ 당신은 건물 앞에 주차를 하면 안 된다.

(4) This vacuum (can / may) operate for 90 minutes when fully charged.

➡ 이 진공청소기는 완전히 충전되었을 때 90분간 작동할 수 있다.

Words

as long as ~하는 한   cancer 암   be related to ~와 관계가 있다   park 주차하다   vacuum 진공청소기
operate 작동하다   fully 완전히   charge 충전하다

2 조동사 must, should

- must와 should는 둘 다 의무를 나타내는 조동사이다. must는 강제성을 띤 강한 의무를 나타내고, should는 그보다 약한 강도의 도덕적 의무, 충고, 조언을 나타낸다.

LIBRARY RULES

❶ You must keep quiet in the library.

❷ You must not bring foods and drinks inside.

❸ You should not write in books or on book covers.

❹ You should keep your belongings with you at all times.

도서관 규칙들: ❶ 도서관에서는 조용히 해야 합니다. ❷ 음식과 음료를 가지고 들어오면 안 됩니다.
❸ 책 안이나 표지에 낙서를 하면 안 됩니다. ❹ 소지품은 항상 몸에 지니고 다녀야 합니다.

조동사 must, should

조동사	쓰임	의미	부정형
must	의무, 금지	~해야 한다 (= have to)	must not[mustn't] (~해서는 안 된다) cf. don't have to (~할 필요가 없다)
	강한 추측	~임에 틀림없다	cf. cannot (~일 리가 없다)
should	의무	~해야 한다	should not[shouldn't] (~해서는 안 된다)
	충고, 조언	~하는 것이 좋다 (= had better)	cf. had better not (~하지 않는 것이 좋다)

1 우리말을 참고하여 알맞은 말을 고르세요.

(1) You (must not / had better not) walk home alone.

➡ 너는 집에 혼자 걸어오지 않는 것이 좋겠다.

(2) He will (must / have to) get his driver's license for his job.

➡ 그는 직업 때문에 운전면허를 따야 할 것이다.

(3) There (should / must) be some misunderstanding.

➡ 무언가 오해가 있는 것이 틀림없다.

(4) You (must not / don't have to) take the pills on an empty stomach.

➡ 너는 빈속에 알약을 먹으면 안 된다.

2 우리말과 같도록 빈칸에 알맞은 조동사를 쓰세요.

(1) You _____ show respect towards your parents.

➡ 너는 부모님께 존경을 보여야 한다. (의무)

(2) The rumor about her _____ be true.

➡ 그녀에 관한 소문이 사실일 리가 없다. (강한 추측)

(3) Brian _____ be home. I heard a noise coming from his room.

➡ Brian은 집에 있는 것이 틀림없다. 나는 그의 방에서 나는 소리를 들었다.
   (강한 추측)

(4) The pizza here is so delicious. You _____ try some.

➡ 이곳의 피자는 정말 맛있어. 너는 그것을 먹어봐야 해. (조언)

Words

driver's license 운전면허(증)   misunderstanding 오해   pill 알약

기초 유형 연습

A 괄호 안의 어구를 배열하여 우리말과 같은 문장을 완성하세요.

1 나는 Jason이 어떻게 생겼는지 기억이 나지 않는다.
(what / can't / looks like / I / Jason / remember)

2 이 셔츠를 더 작은 사이즈로 교환할 수 있을까요?
(may / a smaller size / for / this shirt / exchange / I)

3 저녁 식사를 마치면 너는 식탁을 떠나도 좋다.
(finish / when / you / leave / your dinner / can / you / the table)

4 그 섬의 화산은 가까운 미래에 폭발할지도 모른다.
(erupt / on the island / may / the volcano / in the near future)

TiP

can은 능력, 가능, 허가를 나타내고,
may는 약한 추측과 허가를 나타냅니다.

B 우리말을 참고하여 밑줄 친 부분을 바르게 고쳐 문장을 다시 쓰세요.

1 You <u>have to brushing</u> your teeth three times a day.
(너는 하루에 세 번 이를 닦아야 한다.)

2 You <u>don't must throw</u> trash on the street.
(너는 길에 쓰레기를 버려서는 안 된다.)

3 It <u>should be true</u> what people say about the deserted house.
(사람들이 그 버려진 집에 대해 하는 말은 사실임에 틀림없다.)

4 You <u>must not</u> answer every question.
(네가 모든 질문에 답할 필요는 없다.)

> must와 should의 부정형이 갖는 의미에 주의하세요.

Words

exchange 교환하다   erupt (화산이) 분출하다   volcano 화산   deserted 사람(들)이 떠나 버린, 버림받은

3^{Day} 조동사+have+과거분사

- 「조동사+have+과거분사」는 과거에 대한 추측, 후회, 유감 등을 나타낸다.

❶ Why is Kevin late?

❷ He might have got stuck in a heavy traffic jam.

❸ I think he must have overslept.

❹ I should have set my alarm.

❶ Kevin이 왜 늦는 거지? ❷ 그는 극심한 교통 체증에 갇혔을지도 몰라.
❸ 내 생각에 그는 늦잠을 잔 게 틀림없어. ❹ 나는 알람시계를 맞췄어야 했어.

하루 개념 조동사+have+과거분사

- 「조동사+have+과거분사」는 **과거의 일에 대한 추측, 후회, 유감** 등 여러 가지 의미를 나타낸다.

종류	의미
should have+과거분사	~했어야 했다 (과거의 일에 대한 후회나 유감)
must have+과거분사	~이었음에 틀림없다 (과거의 일에 대한 강한 추측)
may[might] have+과거분사	~이었을지도 모른다 (과거의 일에 대한 약한 추측)
cannot have+과거분사	~이었을 리가 없다 (과거의 일에 대한 강한 의심)
could have+과거분사	~할 수도 있었다 (과거의 일에 대한 가능성)

1 다음 문장의 우리말 해석을 완성하세요.

(1) It must have rained last night. The ground is wet.

➡ 지난밤에 ＿＿＿＿＿＿＿＿＿＿. 땅이 젖어 있다.

(2) She cannot have gone to the theater. It's closed on Sundays.

➡ 그녀는 극장에 ＿＿＿＿＿＿＿＿＿＿. 그곳은 일요일에 문을 닫는다.

(3) His eyes are red. He might have been awake all night.

➡ 그의 눈은 충혈되었다. 그는 밤새 ＿＿＿＿＿＿＿＿＿.

(4) It's getting cold. We should have brought our jackets.

➡ 날씨가 점점 추워지고 있다. 우리는 재킷을 ＿＿＿＿＿＿＿＿＿.

2 우리말을 참고하여 괄호 안에서 알맞은 것을 고르세요.

(1) David looks tired today. He (cannot have slept / could have slept) well last night.

➡ David는 오늘 피곤해 보인다. 그는 어젯밤 잠을 잘 잤을 리가 없다.

(2) I (could have been / should have been) more successful if I had worked harder.

➡ 내가 더 열심히 일했더라면 더 성공할 수 있었을 텐데.

(3) You (should lock / should have locked) the door before leaving.

➡ 너는 나가기 전에 문을 잠갔어야 했다.

(4) Emma (must have practiced / cannot have practiced) a lot before she gave her speech. It was really good.

➡ Emma는 연설을 하기 전에 연습을 많이 했음에 틀림없다. 그것은 정말 훌륭했다.

Words
lock (자물쇠로) 잠그다   give a speech 연설하다

3 ^{Day} used to, would

하루 구문

• used to와 would는 과거의 습관을 나타낸다.

❷ He is my friend Mike.
❸ He used to live next door to me. ❹ We would go camping during summer vacation.

❶ Who's this boy?

❶ 이 남자애는 누구니? ❷ 그는 내 친구 Mike야.
❸ 그는 우리 옆집에 살았어. ❹ 우리는 여름 방학 때 캠핑을 가곤 했지.

하루 개념

used to, would

• used to와 would는 **과거의 습관**을 나타낼 때 쓰인다.

	쓰임	의미
used to	과거의 습관이나 지속적인 상태	~하곤 했다, ~이었다
would	과거의 습관	~하곤 했다

• be동사, like, have 등과 함께 **과거의 상태**(전에는 ~이었다)를 나타낼 때에는 **used to**를 쓴다. would는 이 의미로 쓸 수 없다.

cf. 「be[get] used to+동명사」: ~하는 데 익숙하다[익숙해지다] / 「be used to+동사원형」: ~하는 데 사용되다

1 우리말을 참고하여 밑줄 친 부분이 '습관'과 '상태' 중 무엇을 나타내는지 고르세요.

(1) We <u>used to</u> play tennis every day during summer.   ☐ 습관 ☐ 상태

➡ 우리는 여름에 매일 테니스를 치곤 했다.

(2) Before he retired, he <u>would</u> always walk to work.   ☐ 습관 ☐ 상태

➡ 은퇴하기 전, 그는 항상 직장에 걸어가곤 했다.

(3) He <u>used to</u> have long hair, but now he doesn't.   ☐ 습관 ☐ 상태

➡ 그는 (전에) 머리가 길었지만, 지금은 아니다.

(4) She <u>used to</u> go on holiday to Hawaii every year.   ☐ 습관 ☐ 상태

➡ 그녀는 매년 하와이로 휴가를 가곤 했다.

2 우리말을 참고하여 빈칸에 would 또는 used to를 쓰세요.

(1) 이 근처에는 커피숍이 있었던 적이 없었다.

➡ There never _____ be a coffee shop near here.

(2) 나는 브로콜리를 싫어했지만 지금은 그것을 아주 좋아한다.

➡ I _____ hate broccoli, but now I love it.

(3) 우리 가족은 내가 어렸을 때 주말에 영화를 보러 가곤 했다.

➡ My family _____ go to the movies on the weekend when I was young.

(4) 나는 서울에 살았었지만 지금은 제주에 산다.

➡ I _____ live in Seoul, but now I live in Jeju.

Words

retire 은퇴하다   **go on holiday** 휴가를 가다

A 괄호 안의 어구를 배열하여 우리말과 같은 문장을 완성하세요.

1 그는 실수로 네 가방을 가져갔을지도 모른다.

(he / by mistake / have / may / taken / your bag)

2 나는 그 말을 하지 말았어야 했다.

(said / should / I / have / that / not)

3 과거에 화성에는 물이 있었음에 틀림없다.

(there / on Mars / been / have / water / must)

in the past.

4 Tim은 경주에서 이길 수 있었지만, 최선을 다하지 않았다.

(could / Tim / won / the race / have)

, but he didn't do his best.

「조동사 + have + 과거분사」의 의미와
쓰임을 잘 살펴야 합니다.

B 우리말을 참고하여 밑줄 친 부분을 바르게 고쳐 문장을 다시 쓰세요.

1 He <u>would love</u> traveling alone, but now he doesn't.
(그는 혼자 여행하는 것을 좋아했지만, 지금은 그렇지 않다.)

2 Jack and Amy <u>were used to feeling</u> lonely until they met each other.
(Jack과 Amy는 서로를 만나기 전까지 외로움을 느꼈었다.)

3 While at school she <u>would be</u> the smartest student in the class.
(학교에 다닐 때 그녀는 반에서 가장 똑똑한 학생이었다.)

4 I <u>would rather</u> play soccer every weekend, but I don't have time now.
(나는 주말마다 축구를 하곤 했는데, 지금은 시간이 없다.)

나타내고자 하는 것이 과거의 상태인지 습관인지 파악할 수 있어야 합니다.

Words
by mistake 실수로   Mars 화성   do one's best 최선을 다하다   lonely 외로운

Day 4

수동태의 의미와 형태

하루 구문

- 수동태는 주어가 행위의 대상이 될 때 사용하는 동사의 형태이다.

❶ A wonderful snowman is built by us every winter.

❷ Let's make a snowman!

❸ Well, outdoor activities are not loved by cats.

❶ 매년 겨울 멋진 눈사람이 우리에 의해 만들어지지. ❷ 눈사람 만들자! ❸ 글쎄, 야외 활동은 고양이들에게 사랑받지 못해.

하루 개념 수동태의 의미와 형태

- 수동태는 행위의 대상 또는 행위 자체를 강조할 때 사용하는 동사의 형태로 **행위의 대상이 주어**가 된다.
- 「**be동사＋과거분사(＋by＋행위자)**」로 쓴다. by 뒤에 대명사가 오면 목적격으로 쓴다.

〈능동태〉 Yunji fixed the bike.
　　　　　　주어　　　　　목적어

〈수동태〉 The bike was fixed by Yunji.
　　　　　　주어　 be동사＋과거분사　 행위자

수동태의 부정문	be동사＋not＋과거분사
수동태의 의문문	(의문사＋) be동사＋주어＋과거분사 ～?
조동사를 포함한 수동태	조동사＋be＋과거분사

1 우리말을 참고하여 괄호 안에서 알맞은 것을 고르세요.

(1) The entire house (is painted / has painted) by Henry every year.

➡ 집 전체가 매년 Henry에 의해 페인트칠 된다.

(2) The movie (didn't direct / wasn't directed) by the French director.

➡ 그 영화는 그 프랑스인 감독에 의해 감독되지 않았다.

(3) (Is dinner cooked / Is cooked dinner) by Danny every day?

➡ 매일 저녁 식사는 Danny에 의해 요리되니?

(4) Plastic and paper products (should recycle / should be recycled).

➡ 플라스틱과 종이 제품들은 재활용되어야 한다.

2 괄호 안의 동사를 이용하여 우리말에 맞게 문장을 완성하세요.

(1) 수진이의 생일 케이크는 매년 그녀의 오빠에 의해 구워진다. (bake)

➡ Sujin's birthday cake _____ her brother every year.

(2) 그 식당은 매주 수백 명의 사람들에 의해 방문된다. (visit)

➡ The restaurant _____ hundreds of people every week.

(3) 기사 제목들은 기자들에 의해 작성되지 않는다. (write)

➡ The headlines _____ the reporters.

(4) 소금과 후추가 당신의 입맛에 따라 첨가될 수 있다. (can, add)

➡ Salt and pepper _____ according to your taste.

Words

entire 전체의   direct 감독하다   recycle 재활용하다   headline 기사 제목, 표제   according to ～에 따라

4^{Day} 수동태의 시제

• 수동태의 시제는 be동사의 형태 변화로 나타낸다.

❶ 이 목도리는 우리 엄마에 의해 뜨개질된 거야. ❷ 나는 아주 행복해. 이건 영원히 기억될 거야.
❸ 여기 봐. 너는 사진 찍히고 있어. ❹ 이 사진은 내 웹사이트에 게시될 거야. ❺ 저들에 의해 멋진 눈사람이 만들어졌군!

하루 개념 수동태의 시제

• 수동태의 시제는 be동사로 나타낸다. 뒤의 과거분사는 변하지 않는다.

시제 구분	단순	진행	완료
현재	am/are/is+과거분사	am/are/is being+과거분사	have[has] been+과거분사
과거	was/were+과거분사	was/were being+과거분사	had been+과거분사
미래	will be+과거분사	will be being+과거분사	will have been+과거분사

개념 원리 확인 ②

Answers p. 11

1 시제에 유의하여 다음 문장의 우리말 해석을 완성하세요.

(1) This wooden seesaw was made by my grandfather.

➡ 이 나무 시소는 _____.

(2) A new bridge is being built in my town.

➡ 우리 동네에 _____.

(3) The computer will be repaired tomorrow.

➡ 그 컴퓨터는 내일 _____.

(4) The song has been sung by people since 2012.

➡ 그 노래는 2012년 이후부터 _____.

2 우리말을 참고하여 괄호 안에서 알맞은 것을 고르세요.

(1) This building (designed / was designed) by a famous architect.

➡ 이 건물은 유명한 건축가에 의해 설계되었다.

(2) The traveller (was given / was giving) food and water by villagers.

➡ 여행객은 마을 사람들에게 음식과 물을 받았다.

(3) Coffee (has just been made / will be made soon). You can have a cup if you like.

➡ 커피가 방금 만들어졌습니다. 원하시면 한 잔 드실 수 있습니다.

(4) The bill (has been discussed / will be discussed) by the council members.

➡ 그 법안은 의회 구성원들에 의해 논의될 것이다.

Words

seesaw 시소(놀이 기구)   architect 건축가   villager 마을 사람   bill 법안   council 의회

A 다음 문장을 주어진 조건에 따라 다시 쓰세요.

1 Three hundred people are employed by this company. (능동태로)

2 My father feeds those fish in the pond every morning. (수동태로)

3 The restaurant was renovated in 2019. (부정문으로)

4 The *Mona Lisa* was painted by Leonardo Da Vinci. (의문문으로)

행위의 주체와 대상을 파악하는
것이 중요합니다.

B 괄호 안의 어구를 배열하여 우리말과 같은 문장을 완성하세요.

1 몇 곡의 노래가 아이들에 의해 불리고 있다.

(sung / are / being / by / children / a few songs)

2 그 회의는 오후 5시까지 마쳐질 것이다.

(finished / the meeting / be / 5 p.m. / by / will)

3 그녀의 소설들은 다섯 개의 언어로 번역되었다.

(into / have / translated / her novels / been / five languages)

4 그 의사들은 자신들에 의해 치료법이 발견되었다고 주장했다.

(had / found / the cure / been / them / by)

The doctors claimed that   .

수동태의 시제는 be동사의
형태 변화로 표현합니다.

Words

employ 고용하다   renovate (낡은 건물 등을) 개조[보수]하다   translate 번역하다   cure 치료법   claim 주장하다

5 Day by 이외의 전치사를 쓰는 수동태 / 동사구 수동태

- 수동태 문장에서 by 이외의 전치사를 쓰기도 한다. 동사구(동사＋전치사/부사)의 수동태 형태에도 주의해야 한다.

❷ You will be amazed at my skills.

❶ Are you ready?

❸ I'm so excited about catching a ball!

❺ Hey, do you already need a break?

❹ I'll be laughed at by her, but I'm burned out.

❶ 준비됐어? ❷ 넌 내 기술에 놀라게 될 걸. ❸ 나는 공 잡는 게 너무 신나!
❹ 나는 그녀에게 비웃음 당하겠지만, 기운이 소진됐어. ❺ 야, 너 벌써 쉬어야 돼?

하루 개념 | **by 이외의 전치사를 쓰는 수동태 / 동사구 수동태**

- 아래와 같이 by 이외의 전치사를 사용하는 수동태는 형태를 기억해 두는 것이 좋다.

be interested **in**	～에 관심이 있다	be amazed [surprised] **at**	～에 놀라다
be satisfied **with**	～에 만족하다	be covered **with**	～로 뒤덮이다
be worried **about**	～에 대해 걱정하다	be disappointed **at**	～에 실망하다
be excited **about**	～에 대해 흥분하다	be filled **with**	～으로 가득 차다

- 「동사＋전치사/부사」가 하나의 동사처럼 쓰이는 구동사의 수동태는 「be동사＋과거분사＋전치사/부사」로 쓴다.

  e.g. Ms. Green put off the meeting. → The meeting **was put off** by Ms. Green.

개념 원리 확인 ①

Answers p. 11

1 우리말을 참고하여 빈칸에 알맞은 전치사를 쓰세요.

(1) 바닥은 언제나 먼지로 덮여 있다.

   ➡ The floor is always covered _____ dust.

(2) 나는 그 식당의 서비스가 만족스럽지 않았다.

   ➡ I wasn't satisfied _____ the restaurant's service.

(3) 그들은 그녀가 얼마나 용감한지에 놀랐다.

   ➡ They were surprised _____ how brave she was.

(4) 나는 더 이상 정치학에 관심이 없다.

   ➡ I'm no more interested _____ politics.

2 우리말을 참고하여 괄호 안에서 알맞은 표현을 고르세요.

(1) The light (was turned / was turned off) by the guard.

   ➡ 전등이 경비원에 의해 꺼졌다.

(2) The fire (was put / was put out) by the firefighters.

   ➡ 그 불은 소방관들에 의해 꺼졌다.

(3) His first movie (was laughed / was laughed at) by critics.

   ➡ 그의 첫 번째 영화는 평론가들에게 비웃음을 당했다.

(4) The scientist (is looked / is looked up to) by many people.

   ➡ 그 과학자는 많은 사람들로부터 존경을 받는다.

Words

dust 먼지 brave 용감한 politics 정치학 critic 평론가

Day 5

4, 5형식의 수동태

- 4형식 문장의 수동태는 간접목적어 또는 직접목적어를 주어로 하여 두 종류로 쓸 수 있다.
  5형식 문장의 수동태는 목적격 보어의 위치에 유의해야 한다.

❶ We were given the first prize in the dancing contest.

❷ A lot of questions were asked of us by the reporter.

❶ 우리는 춤 경연 대회에서 1등 상을 받았어요.　❷ 많은 질문이 기자에 의해 우리에게 주어졌답니다.

하루 개념 4, 5형식의 수동태

- 목적어가 두 개인 4형식 동사를 수동태로 쓸 때 간접목적어나 직접목적어를 주어로 하고 다른 하나는 수동태 뒤에 쓴다. 직접목적어가 주어인 경우 뒤에 남은 간접목적어 앞에 전치사 to, for, of 등을 쓴다.

  능동태 ㅣ I gave Andy a book. → 수동태 **Andy** was given **a book** by me. (간접목적어가 주어)
  간접목적어 직접목적어 **A book** was given to **Andy** by me. (직접목적어가 주어)

- 목적어와 목적격 보어를 가지는 5형식 동사가 수동태가 되면 목적격 보어가 수동태 뒤에 남는다.

  능동태 ㅣ He told me to fix the car. → 수동태 ㅣ I was told **to fix the car** by him.

- 사역동사와 지각동사의 수동태: 능동태에서 목적격 보어로 쓰인 동사원형이 수동태에서는 to부정사로 바뀐다.

  능동태 ㅣ I made him clean the room. → 수동태 ㅣ He was made **to clean** the room by me.

- 사역동사 let과 have는 수동태로 쓰지 않는다.

1 우리말을 참고하여 괄호 안에서 알맞은 표현을 고르세요.

(1) He was (taught / taught to) Spanish by Ms. Gómez.

➡ 그는 Gómez 선생님에게 스페인 어를 배웠다.

(2) Some advice was (given / given to) her by her parents.

➡ 몇 가지 충고가 그녀의 부모님에 의해 그녀에게 주어졌다.

(3) She was (asked / asked to) lower her voice by her brother.

➡ 그녀는 그녀의 남동생에게 목소리를 낮춰 달라고 요청받았다.

(4) He was (shown / shown to) a yellow card by the referee.

➡ 그는 심판에게 옐로카드를 받았다.

2 우리말을 참고하여 다음 문장을 수동태로 바꿔 쓰세요.

(1) He offered me a cup of tea. (그는 나에게 차 한 잔을 대접했다.)

➡ I _____ by him.

(2) She told me the shocking news. (그녀는 내게 충격적인 소식을 말해 주었다.)

➡ _____ to me by her.

(3) The teacher encourages students to express their own opinions.

(선생님은 학생들이 그들의 의견을 표현하도록 장려한다.)

➡ _____ their own opinions by the teacher.

(4) Her classmates elected her class president.

(그녀의 급우들은 그녀를 학급 대표로 선출했다.)

➡ _____ by her classmates.

Words

lower 낮추다   yellow card (경고의 의미) 옐로카드   referee (스포츠 경기의) 심판   offer 제공하다
shocking 충격적인   encourage 장려하다   express 표현하다   elect 선출하다

A 괄호 안의 어구를 배열하여 우리말과 같은 문장을 완성하세요.

1 그는 시험 결과에 실망했다.

(he / the test results / disappointed / was / at)

2 우리의 관계는 기쁨과 신뢰로 가득 차 있다.

(with / filled / is / joy and trust / our relationship)

3 그 문제는 공정하게 처리될 것이다.

(be / the problem / dealt / will / fairly / with)

4 그 아기는 할머니에 의해 돌보아진다.

(care / is / taken / the baby / her grandmother / of / by)

by 이외의 전치사가 쓰이는 수동태 중 자주 쓰이는
것들은 하나의 표현처럼 외워 두면 좋습니다.

B 우리말을 참고하여 다음 문장을 수동태 문장으로 바꿔 쓰세요. (밑줄 친 부분을 주어로 할 것)

1 We gave the police the information.
(우리는 경찰에게 정보를 주었다.)

2 Ann showed me a kitten.
(Ann은 나에게 새끼 고양이를 보여 주었다.)

3 The man told me to talk as much as possible.
(그 남자는 나에게 최대한 말을 많이 하라고 말했다.)

4 They saw her dance on the ice.
(그들은 그녀가 얼음 위에서 춤추는 것을 보았다.)

능동태 문장의 형식을 확인하세요. 4형식 문장의 수동태에서는 뒤에 목적어 중 하나가, 5형식 문장의 수동태에서는 뒤에 목적격 보어가 남습니다.

Words

trust 신뢰   relationship 관계   fairly 공정하게   as much as possible 가능한 한 많이

✐ 문장을 읽고, 네모 안에서 알맞은 표현을 고르세요.

01
모의응용
When Andrew reached the nursing home, Grandad was sit / sitting up in bed.

02
학평응용
Large sums of money spent / were spent on lavish clothing and jewelry.

03
수능응용
The high school grounds were filling / filled with well-dressed people, posing for cheerful photographers.

Q 위 문장의 묘사를 통해 짐작할 수 있는 행사는?

04
학평응용
The time can be set / can set only with the remote control.

05
수능응용
At twenty, I could have written / could be written the history of my school days.

Q 스무 살 때 글쓴이가 글로 쓸 수도 있었던 것이 무엇인지 우리말로 간단히 쓰시오.

// 문장을 읽고, 어법상 바르면 T에, 바르지 않으면 F에 표시하세요.

06
모의 응용
I find myself laughing at things that I used to taking far too seriously. T F

07
학평 응용
Reading has always been envied by those who rarely give themselves that advantage. T F

08
수능 응용
You did a great job cleaning up your room today, and I know that must have been a big effort for you. T F

Q that이 가리키는 것을 우리말로 간단히 쓰시오.

09
모의 응용
The project of creating the tomb of Pope Julius II was originally given Michelangelo in 1505. T F

10
수능 응용
One doll was made of ivory and lay beside its owner who had died at the age of eighteen. T F

What you learned this week

이번 주에 배운 것을 복습해 보세요.

☑ 다음 그림의 상황을 설명한 문장에서 알맞은 말을 고르세요.

The boy (☐ has been / ☐ has being) in hospital for three days.

The boy said he (☐ had been / ☐ was been) in hospital for three days.

> **Tip** 현재완료는 「have+과거분사」로, 과거완료는 「had+과거분사」로 쓴다.

She (☐ can / ☐ may) play the drums very well.

It is late in the evening. She (☐ may / ☐ should) be quiet.

> **Tip** 조동사 can은 능력, 가능, 허가 등을 나타내고, should는 의무를 나타낸다.

Kate used to (☐ work / ☐ working) late hours, but now she doesn't.

Kate (☐ should have gone / ☐ must have gone) home.

> **Tip** • 「used to/would+동사원형」은 '~하곤 했다'라는 뜻으로 과거의 습관을 나타낸다.
> • 「조동사+have+과거분사」는 과거의 일에 대한 후회, 유감, 추측 등을 나타낸다.

This picture (☐ was painted / ☐ was painting) by Jenny.

> **Tip** 수동태는 「be동사+과거분사」로 쓰며, 수동태의 시제는 be동사의 형태 변화로 나타낸다.

The top of the mountain is covered (☐ of / ☐ with) snow.

> **Tip** • 수동태 문장에서 by 이외의 전치사를 쓰기도 한다.
> • 「동사+전치사/부사」로 이루어진 동사구의 수동태는 「be동사+과거분사+전치사/부사」로 쓴다.
> • 4, 5형식의 수동태를 쓸 때, 수동태 뒤에 능동태 문장의 남은 목적어나 목적격 보어가 온다.

A 다음 그림을 보고, 주어진 동사의 진행형을 이용하여 문장을 완성하세요.

1
2
3

1 Betty _____ her favorite novel last evening. (read)

2 Mr. Brown _____ a break now. (take)

3 Hojin _____ basketball this weekend. (play)

B 다음을 읽고, 먼저 일어난 일에 1을, 나중에 일어난 일에 2를 쓰세요.

1 When I first saw the old house, I had just moved to the town.

2 He found that somebody had cleaned his room.

3 Because she had not studied hard, she failed the test.

C 다음 두 문장을 한 문장으로 바꿔 쓸 때 빈칸에 알맞은 말을 쓰세요.

1 I moved to Seoul in 2015.   I still live in Seoul.

➡ I _____ in Seoul since 2015.

2 Naru went to China.   She is not here now.

➡ Naru _____ to China.

D 다음 두 문장의 뜻이 통하도록 빈칸에 알맞은 조동사를 쓰세요.

1 Am I allowed to have a biscuit?

_____ I have a biscuit?

2 It is possible that he will hold his breath for 30 seconds.

He _____ hold his breath for 30 seconds.

3 You had better eat more fruit and vegetables.

You _____ eat more fruit and vegetables.

E 알맞은 조동사를 골라 문장을 완성하세요.

1 She _____ have left the house yet because her car is still outside.

2 You _____ have gone there — it was a mistake.

3 I _____ have gone directly to college, but I decided to travel for a year.

4 Emma got a tan. She _____ have spent a lot of time in the sun lately.

| shouldn't | cannot | must | could |

F 둘 중 어법상 바르게 말한 사람에 표시하세요.

1

There used to be a bookstore here when I was young.

Emily ☐

There would be a bookstore here when I was young.

John ☐

2

My grandmother would walk several miles to school.

Lily ☐

My grandmother got used to walk several miles to school.

Chris ☐

Answers p. 14

G 수동태 문장은 능동태로, 능동태 문장은 수동태로 바꿔 쓰세요.

1 People should obey traffic rules.

_____

2 I discovered an old diary in Dora's room.

_____

3 All the computers in the library are being used by students.

_____

H 주어진 어구를 바르게 배열하여 문장을 완성하세요.

1 _____

| Dan | was | to sleep | advised | at least | a day | seven hours |

2 _____

| was | the final | to score | Eric | in | expected |

3 _____

| half an hour | made | by him | to wait | for | I | was |

이번 주에는
무엇을 공부할까? ❶

Quiz

1 '<u>비가 왔기 때문에</u> 나는 집에 있었다.'에서 밑줄 친 부분은 무엇을 나타낼까요?

① 시간 　　　　　② 이유 　　　　　③ 조건

2 '나는 너보다 키가 크고 나이도 많다.'에서 '나'의 비교 대상은 무엇일까요?

① 너 　　　　　② 키 　　　　　③ 나이

I bought some flour   +   부사 역할을 하는 to부정사(구)   to bake cookies
나는 밀가루를 샀다   쿠키를 굽기 위해
➡ I bought some flour **to bake cookies.** 나는 쿠키를 굽기 위해 밀가루를 샀다.

I hope   +   명사절 접속사   that   +   I pass the audition
나는 바란다   나는 오디션을 통과한다
➡ I hope **that** I pass the audition. 나는 내가 오디션을 통과하기를 바란다.

• Answers p. 15

 1 다음 문장을 읽고, 각 카드 안의 내용이 문장에서 하는 역할을 고르세요.

(1) She went to the park   to walk her dog   .

[형용사 / 부사]

(2) Do you have some money   to buy the ticket   ?

[형용사 / 부사]

(3) He thought   that Anna knew his name   .

[목적어 / 보어]

부사절 접속사 Because + I felt cold + I turned off the fan
~ 때문에 나는 추웠다 나는 선풍기를 껐다

➡ Because I felt cold, I turned off the fan. 나는 추웠기 때문에 선풍기를 껐다.

He is 비교급 taller + than 비교 대상 his mother
그는 ~하다 키가 더 큰 ~보다 그의 어머니

➡ He is taller than his mother. 그는 그의 어머니보다 키가 더 크다.

• Answers p. 15

TWIN **2** 다음 문장을 읽고, 끊어 읽기로 해석해 보세요.

(1)
He	cleaned	the house	while	his children	were out.
그는	청소했다	집을	~ 동안	그의 아이들이	밖에 있었다

(2)
Since	we	are late,	we	had better	take	a taxi.

(3)
I	arrived	at the theater	earlier	than	you.

Day to부정사의 형용사적 / 부사적 용법

하루 구문

• to부정사는 형용사나 부사처럼 쓰일 수 있다.

❶ I'm getting so stressed out these days.

❷ Let me give you some tips to relieve stress.

❸ To relieve stress, try to exercise every day and laugh often.

❺ Laugh! Laugh more!

❻ Hmm... This meat is hard to chew.

❹ Is this really the best way to get rid of stress?

❶ 나 요즘 너무 스트레스 받아. ❷ 스트레스를 줄이는 비결을 알려 줄게. ❸ 스트레스를 줄이기 위해, 매일 운동을 하고 자주 웃으려고 노력해.
❹ 이게 정말 스트레스를 없애는 최선의 방법이야? ❺ 웃어! 더 웃으라고! ❻ 음… 이 고기는 씹기 어렵군.

하루 개념 to부정사의 형용사적 / 부사적 용법
• **형용사적 용법**의 to부정사는 **명사나 대명사**를 뒤에서 꾸민다. '~할, ~하는'으로 해석한다.
• **부사적 용법**의 to부정사는 **목적**(~하기 위해), **감정의 원인**(~해서), **판단의 근거**(~하다니), **결과**(…해서 ~하다) 등을 나타낸다. **형용사를 꾸밀 때**에는 '~하기에'라고 해석한다.
• 목적을 나타내는 부사적 용법의 to부정사는 **in order to**[so as to]와 바꿔 쓸 수 있다.

1 다음 문장을 끊어서 해석해 보고, 우리말로 바르게 옮긴 것을 고르세요.

(1) My sister / went / to Paris / to study / painting.

☐ 내 여동생은 파리에 가기 위해 미술을 공부했다.

☐ 내 여동생은 미술을 공부하기 위해 파리에 갔다.

(2) Everyone / has / something / to be happy about.

☐ 모든 사람은 행복을 느끼는 무언가를 가지고 있다.

☐ 모든 사람은 행복하기 때문에 무언가를 가지고 있다.

(3) I returned / to my car / only to find / that I'd locked / my car key / inside the vehicle.

☐ 나는 차 안에 열쇠를 넣고 잠그려고 내 차로 돌아왔다.

☐ 나는 내 차로 돌아와 차 안에 열쇠를 넣고 잠갔다는 것을 알게 됐다.

2 다음 문장의 밑줄 친 to부정사의 용법을 고르고 해석을 완성하세요.

(1) <u>To think</u> more clearly, eat a good breakfast. (형용사적 용법 / 부사적 용법)

➡ 더 명료하게 _____ 아침 식사를 잘해라.

(2) We were sorry <u>to hear</u> about the accident. (형용사적 용법 / 부사적 용법)

➡ 우리는 그 사고에 대해 _____ 유감이었다.

(3) Noise in the classroom has negative effects on the ability <u>to pay</u> attention. (형용사적 용법 / 부사적 용법)

➡ 교실 안의 소음은 주의를 _____ 능력에 부정적인 영향을 미친다.

Words

lock 잠그다   vehicle 차량   negative 부정적인   ability 능력

1 **Day**
분사 형용사

- 현재분사(-ing)와 과거분사(-ed 또는 불규칙 과거분사형)는 명사의 앞이나 뒤에서 형용사와 같은 역할을 한다.

❶ I almost cried when the boy found his lost dog. What a touching movie!

❷ Well, yes, it was touching. I think it was a boring movie though.

❸ And the boy sitting next to me kept looking at his cell phone. It was really an annoying experience.

❹ Why is the girl holding a basket filled with popcorn looking at me?

❶ 나는 그 소년이 잃어버린 개를 찾았을 때 거의 울 뻔 했어. 정말 감동적인 영화였어! ❷ 음, 맞아, 감동적이었지. 하지만 난 그게 지루한 영화였다고 생각해.
❸ 그리고 내 옆에 앉은 소년이 계속 휴대 전화를 보고 있었어. 그건 정말 짜증나는 경험이었어.
❹ 팝콘으로 가득 찬 바구니를 들고 있는 여자애가 나를 왜 쳐다보지?

하루 개념 분사 형용사

- 분사는 명사의 앞이나 뒤에서 **명사를 꾸미는 형용사** 역할을 할 수 있다.
- 분사가 단독으로 명사를 꾸밀 때에는 명사 앞에 쓰고, 목적어나 수식어구가 붙어 있으면 명사 뒤에 쓴다.
- **현재분사는 능동·진행**의 의미를 나타내고, **과거분사는 수동·완료**의 의미를 나타낸다.
- 감정을 나타내는 분사는 꾸밈을 받는 명사가 **감정의 원인**이 될 때 **현재분사**를 쓰고, **감정을 느끼는 주체**일 때 **과거 분사**를 쓴다.

1 우리말을 참고하여 괄호 안에서 알맞은 표현을 고르세요.

(1) My father tried to fix the (breaking / broken) boiler.

➡ 아버지는 고장 난 보일러를 고치려고 애썼다.

(2) Calming a (crying / cried) baby is one of the toughest jobs.

➡ 울고 있는 아기를 진정시키는 것은 가장 어려운 일 중 하나이다.

(3) They built the house with mud bricks (drying / dried) in the sun.

➡ 그들은 햇볕에 말린 진흙 벽돌로 그 집을 지었다.

(4) Don't you think it is (surprising / surprised) news for everyone?

➡ 너는 그것이 모두에게 놀라운 소식이라고 생각하지 않니?

2 다음 문장에서 분사 형용사를 찾아 동그라미를 치고 해석을 완성하세요.

(1) This morning, I received an e-mail written in French.

➡ 오늘 아침에 나는 프랑스어로 _____ 이메일을 받았다.

(2) People living in neighborhoods with public parks exercise often.

➡ 공원이 있는 동네에 _____ 사람들은 운동을 자주 한다.

(3) I studied hard for the final exam but got disappointing grades.

➡ 나는 기말 시험 공부를 열심히 했지만 _____ 성적을 받았다.

Words

tough 힘든 mud 진흙 brick 벽돌 public 공공의

기초 유형 연습

A 다음 문장을 우리말로 해석하세요.

1 They were looking for a place to hide during the night.

2 Humans sweat to help control their body temperatures.

3 She was shocked to read the negative reviews about her new book.

4 I have found these sneakers comfortable to wear.

TiP

to부정사가 형용사적 용법으로 쓰이면 명사의 뒤에서 명사를 꾸미고, 부사적 용법으로 쓰이면 목적, 감정의 원인 등 다양한 의미를 나타내요.

Answers p. 16

B 괄호 안의 어구를 배열하여 우리말과 같은 문장을 완성하세요. (단, 밑줄 친 단어는 분사로 바꿔 쓸 것)

1 이미지는 생각과 경험을 보여주는 심상이다.

(<u>show</u>, mental pictures, are, ideas and experiences, images)

2 Black 씨라고 불리는 한 남자가 유용한 발명품을 생각해냈다.

(<u>call</u>, came up with, a man, Mr. Black, a helpful invention)

3 시 의회는 전쟁 중에 파괴된 그 건물을 재건축하기로 결정했다.

(decided, in the war, <u>destroy</u>, the city council, to rebuild, the building)

4 엔지니어는 새 영화를 위해 무서운 음향 효과를 만들었다.

(<u>frighten</u>, for the new movie, the engineer, created, sound effects)

> 현재분사는 능동·진행의 의미를, 과거분사는 수동·완료의 의미를 나타내요.

Words

sweat 땀을 흘리다   control 조절하다   body temperature 체온   shocked 충격을 받은   mental 정신적인
come up with ~을 생각해내다   city council 시 의회   rebuild 재건하다, 다시 짓다   frighten 겁먹게 하다

명사절을 이끄는 접속사

하루 구문

- 명사절을 이끄는 접속사로 that, if, whether 등을 쓸 수 있다.

❶ I'm wondering if we are lost here.

❷ Don't worry. We have a map on the phone.

❸ Look. We are here. And ... and ... Oh, where are we?

❹ It's not important that we have a map. Whether we can read a map is important!

❶ 우리가 여기에서 길을 잃은 건지 궁금한데. ❷ 걱정하지 마. 전화기에 지도가 있잖아. ❸ 봐. 우리는 여기에 있어. 그리고… 그리고… 오, 우리는 어디에 있지? ❹ 우리에게 지도가 있다는 게 중요하지 않아. 우리가 지도를 읽을 수 있는지가 중요하지!

하루 개념 | 명사절을 이끄는 접속사

- 접속사 **that**이 이끄는 명사절은 '~하는 것'으로 해석하며 주어, 보어, 목적어 역할을 할 수 있다.
  ① 주어 역할일 때: 보통 가주어 it을 주어 자리에 쓰고 that절은 뒤에 쓴다.
  ② 목적어 역할일 때: that을 생략할 수 있다.
- 접속사 **if**와 **whether**가 이끄는 명사절은 '~인지 (아닌지)'로 해석한다.   p. 104 간접의문문 참조
  ① if가 이끄는 명사절: 목적어 역할을 한다.
  ② whether가 이끄는 명사절: 주어, 보어, 목적어 역할을 한다. or not을 whether 뒤나 절 끝에 쓸 수 있다.

1 다음 문장을 우리말로 바르게 옮긴 것을 고르세요.

(1) Do you know that his father is a singer?

☐ 너는 그의 아버지인 가수를 알고 있니?

☐ 너는 그의 아버지가 가수라는 것을 알고 있니?

(2) It is true that she wrote this script for you.

☐ 그녀가 당신을 위해 이 대본을 쓴 것은 사실이다.

☐ 그것은 사실이어서 그녀가 당신을 위해 이 대본을 썼다.

(3) My question is whether I should take this online class or not.

☐ 내 질문은 내가 왜 이 온라인 강좌를 들어야 하는지이다.

☐ 내 질문은 내가 이 온라인 강좌를 들어야 하는지 아닌지이다.

2 우리말을 참고하여 알맞은 접속사를 고른 뒤, 명사절이 문장에서 주어, 보어, 목적어 중 어떤 역할을 하는지 쓰세요.

(1) It is surprising (that / whether) you quit the job.

➡ 당신이 일을 그만두었다는 것은 놀랍다. (_____ 역할)

(2) My mom wondered (that / if) I could come back by 6.

➡ 엄마는 내가 6시까지 돌아올 수 있을지 궁금해 하셨다. (_____ 역할)

(3) (That / Whether) we won the game was not important.

➡ 우리가 경기에서 이겼는지는 중요하지 않았다. (_____ 역할)

Words

script 대본   quit 떠나다, 그만두다   wonder 궁금해 하다

Day 2 간접의문문

하루 구문

- 의문문이 다른 문장의 일부가 되는 것을 간접의문문이라고 한다. 간접의문문은 명사절로, 주로 동사의 목적어로 쓰인다.

❶ There are so many attractions here!

❷ I don't know what we should ride first.

❸ Where do you think we should go first?

❹ How about the Fantasy Village? By the way, do you know when the park closes?

❶ 여기 탈 게 진짜 많다! ❷ 우리가 뭘 먼저 타야 할지 모르겠어.
❸ 우리가 어딜 먼저 가야 한다고 생각해? ❹ Fantasy Village는 어때? 그런데, 너 공원이 언제 닫는지 아니?

하루 개념 │ 간접의문문

- **간접의문문**은 의문문의 어순을 바꿔 다른 문장의 일부로 쓴 것을 가리킨다. 명사절이며, 주로 **동사의 목적어**로 쓴다.
- **의문사가 없는 의문문**을 간접의문문으로 쓸 때: **if/whether＋주어＋동사**
- **의문사가 있는 의문문**을 간접의문문으로 쓸 때: **의문사＋주어＋동사**
  (단, 주절이 의문문이며 동사가 think, guess, suppose 등이면 간접의문문의 의문사를 문장 맨 앞에 쓴다.)

1 다음 문장에서 간접의문문을 찾아 밑줄을 치고 해석을 완성하세요.

(1) The pianist didn't decide what he would play at the concert.

➡ 그 피아니스트는 음악회에서 _____ 연주할지 결정하지 않았다.

(2) Please let me know where you are waiting for me.

➡ 네가 나를 _____ 기다리고 있는지 알려 줘.

(3) I'm wondering when the plane takes off.

➡ 나는 비행기가 _____ 이륙할지 궁금하다.

(4) The doctor asked me whether I had slept well last night.

➡ 의사는 내가 어젯밤에 잘 _____ 물었다.

2 우리말과 같도록 빈칸에 알맞은 말을 쓰세요.

(1) _____ do you suppose spread the rumor about us?

➡ 너는 누가 우리에 대한 소문을 퍼뜨렸다고 추측하니?

(2) Amy asked _____ country I would travel this summer.

➡ Amy는 내가 이번 여름에 어느 나라를 여행할지 물었다.

(3) I want to know _____ they are protecting those animals.

➡ 나는 그들이 그 동물들을 어떻게 보호하고 있는지 알고 싶다.

(4) I'm not sure _____ the driver was wearing the seat belt.

➡ 나는 운전기사가 안전벨트를 매고 있었는지 확신하지 못한다.

Words

take off (비행기가) 이륙하다　spread 퍼뜨리다　rumor 소문　protect 보호하다

A 명사절에 밑줄을 치고 우리말로 해석하세요.

1 The fact is that the doctor lied to his patients.

2 It was certain that the festival would be canceled.

3 Whether we can finish the project is another matter.

4 The government expected that the oil price would go up.

TiP 명사절을 이끄는 접속사를 찾아보세요.

B 괄호 안의 어구를 배열하여 우리말과 같은 문장을 완성하세요.

1 너는 이 기계가 어떻게 작동한다고 생각해?

(do, this machine, how, works, think, you)

2 나는 Ethan에게 면세점에서 무엇을 샀는지 물어보았다.

(asked, he, at the duty free shop, Ethan, I, what, bought)

3 당신은 우리 학교를 언제 방문할지 우리에게 말해야 합니다.

(you, our school, when, visit, tell, should, will, you, us)

4 너는 이 사진이 어디에서 찍혔다고 추측하니?

(you, this photo, where, taken, guess, do, was)

> 주절이 의문문이고 동사가 think, guess, suppose 등이면 간접의문문의 의문사를 문장 맨 앞에 쓴다는 것을 기억하세요.

Words

certain 확실한 cancel 취소하다 matter 문제 government 정부 work 작동하다 duty free 면세의

Day 3 시간·이유의 부사절을 이끄는 접속사

하루 구문

- 부사절은 부사와 같은 역할을 하며, 주절의 앞이나 뒤에 쓰일 수 있다. 접속사와 함께 시간, 이유 등 다양한 의미를 나타낸다.

❶ While I'm jogging, I listen to fast music.

❷ I listen to fast music during exercise because it increases my pace.

❸ What do you do when you take a break?

❹ I usually check the app since it counts my steps.

❶ 나는 조깅하는 동안 빠른 음악을 들어. ❷ 빠른 음악이 속도를 증가시키기 때문에 난 운동 중에는 빠른 음악을 들어.
❸ 넌 쉴 때 뭘 하니? ❹ 앱이 내 걸음 수를 세어 줘서 보통 그걸 확인해.

하루 개념 시간·이유의 부사절을 이끄는 접속사

- **부사절**은 **부사 역할을 하는 절**로, 주절의 앞이나 뒤에 쓸 수 있다.
- 시간이나 이유를 나타내는 부사절은 다음과 같은 접속사가 이끈다.

쓰임	종류
시간을 나타낼 때	when(~할 때), while(~하는 동안), as(~하면서), as soon as(~하자마자), since(~ 이후로)
이유를 나타낼 때	because(~ 때문에), as(~ 때문에), since(~ 때문에)

- **시간을 나타내는 부사절**에서는 **미래에 관해 말할 때 현재 시제**를 쓴다.

Answers p. 17

1 다음 문장에서 부사절을 이끄는 접속사를 찾아 동그라미를 치고, 접속사가 어떤 의미인지 고르세요.

(1) While Mom was driving, I slept in the back seat.

➡ 엄마가 운전하는 동안, 나는 뒷좌석에서 잤다. ☐ 시간 ☐ 이유

(2) I talked to him in English since he didn't speak Korean.

➡ 그는 한국어를 할 줄 몰라서 나는 그에게 영어로 말했다. ☐ 시간 ☐ 이유

(3) As soon as the baby saw the puppy, she ran to it.

➡ 아기는 강아지를 보자마자 그것에게 달려갔다. ☐ 시간 ☐ 이유

2 다음 문장에서 부사절을 찾아 밑줄을 치고 해석을 완성하세요.

(1) When you feel tired, you should take a short break.

➡ _____ 잠깐 휴식을 취해야 한다.

(2) She doesn't trust you because you lied to her often.

➡ 네가 그녀에게 _____ 그녀가 너를 믿지 못하는 것이다.

(3) The snow will start to melt as the sun comes up.

➡ _____ 눈이 녹기 시작할 것이다.

(4) Don't disturb me while I'm playing games.

➡ 내가 _____ 날 방해하지 마.

Words

back seat (자동차) 뒷좌석 trust 믿다, 신뢰하다 melt 녹다 disturb 방해하다

3 ^{Day} 조건·양보의 부사절을 이끄는 접속사

● 부사절이 조건이나 양보의 의미를 나타낼 수 있다.

① If the rain stops in the evening, let's go for a walk then.

② Though it is rainy, I'll be okay! Let's go out now!

③ Nope. I won't be okay.

④ Okay, okay. Although we will be wet, we can walk anyway.

⑤ Uh-oh. I think I'm not okay.

① 저녁에 비가 그치면, 그때 산책하러 가자. ② 비가 오지만 난 괜찮을 거야! 지금 나가자! ③ 아니. 난 안 괜찮을 거야.
④ 알았어, 알았어. 우린 젖겠지만 어쨌든 산책은 할 수 있지. ⑤ 이런. 나 안 괜찮은 것 같아.

하루 개념 │ 조건·양보의 부사절을 이끄는 접속사

• 조건이나 양보를 나타내는 부사절은 다음과 같은 접속사가 이끈다.

쓰임	종류
조건을 나타낼 때	if(만약 ~라면), unless(~하지 않는 한, ~이 아니라면(= if ~ not))
양보를 나타낼 때	though, although, even though(비록 ~이지만, ~에도 불구하고)

• **조건을 나타내는 부사절**에서는 **미래**에 관해 말할 때 **현재 시제**를 쓴다.

1 다음 문장을 우리말로 바르게 옮긴 것을 고르세요.

(1) I will help her if she is in trouble.

☐ 나는 그녀를 돕겠지만 그녀는 곤경에 처해 있다.

☐ 나는 그녀가 곤경에 처하면 그녀를 도울 것이다.

(2) Although the food got cold already, it tasted so good.

☐ 음식은 이미 식었지만, 아주 맛있었다.

☐ 음식은 이미 차가워져서, 아주 맛있었다.

(3) Unless you want to stay up late, don't drink coffee now.

☐ 늦게까지 깨어 있고 싶다면, 지금 커피를 마시면 안 된다.

☐ 늦게까지 깨어 있고 싶은 게 아니라면, 지금 커피를 마시지 마라.

2 다음 문장에서 부사절을 찾아 밑줄을 치고 우리말 해석을 완성하세요.

(1) They went camping though the weather was not so good.

➡ _____ 그들은 캠핑을 하러 갔다.

(2) Let's take the bus instead of the subway if the bus comes first.

➡ _____ 지하철 대신 버스를 타자.

(3) Although my phone freezes often, I won't get a new one yet.

➡ _____, 나는 아직은 새것을 사지 않을 것이다.

Words
be in trouble 곤경에 처하다   freeze (화면 등이) 동결되다, 멈추다

A 괄호 안의 어구를 배열하여 우리말과 같은 문장을 완성하세요.

1 나는 물을 좀 마시고 싶어서 부엌에 들어갔다.

(I, some water, to drink, into the kitchen, I, wanted, went, because)

2 내가 버스를 기다리는 동안 비가 오기 시작했다.

(was waiting, began, for the bus, while, I, to rain, it)

3 그녀는 종이 치자마자 교실에서 뛰어나갔다.

(as soon as, she, the bell, ran, rang, out of the classroom)

4 Lea는 그 회사에 입사한 이후로 매우 바쁘다.

(Lea, she, has been, the company, very busy, since, entered)

TiP 부사절은 주절의 앞이나 뒤에 올 수 있습니다.

B 괄호 안의 어구를 배열하여 우리말과 같은 문장을 완성하세요.

1 당신이 외국에 갈 게 아니라면 여권을 만들 필요는 없다.

(unless, you, you, to get, go abroad, don't have, a passport)

2 나는 머리가 아팠지만 일을 계속했다.

(even though, went on, a headache, I, I, had, working)

3 그녀는 복권에 당첨됐는데도 여전히 그녀의 낡은 아파트에 살고 있다.

(the lottery, still lives, though, she, in her old apartment, she, won)

4 네가 놀라는 것을 좋아한다면 그의 새 공포영화를 꼭 봐야 한다.

(you, his new horror movie, you, if, like, have to see, to be scared)

Words

enter (조직 등에) 들어가다   go abroad 외국에 가다   passport 여권   lottery 복권   scare 놀라게[무섭게] 하다

Day 4 원급 비교

- 형용사나 부사의 원래 형태를 사용하여 두 대상의 정도가 같음을 나타내는 비교 표현을 원급 비교라 한다.

❶ This desk lamp is as bright as that one.

❷ And it is half as expensive as that one.

❸ I think the new lamp is twice as bright as the old one.

❹ Hmm, I think it's not as bright as I thought.

❶ 이 책상용 스탠드는 저것만큼 밝아 보여. ❷ 그리고 저것의 절반 가격이고요.
❸ 전 이 새 스탠드가 예전 것의 두 배만큼 밝은 것 같아요. ❹ 흠, 내가 생각했던 것만큼 밝은 것 같지는 않네.

하루 개념

원급 비교
- 형용사나 부사의 원래 형태(원급)를 사용하는 비교급을 **원급 비교**라 한다.
- 「as+형용사/부사 원급+as ~」로 쓰며 '~만큼 …한/하게'로 해석한다.
- 부정문은 「not ... as[so]+형용사/부사 원급+as ~」로 쓴다.
- 「배수사(half, twice, 숫자+times ...)+as+형용사/부사 원급+as ~」는 '~의 몇 배만큼 …한/하게'로 해석한다.

1 다음 문장의 우리말 해석을 완성하세요.

(1) Can you chop the vegetables as quickly as the chef?

➡ 너는 _____ 채소를 다질 수 있니?

(2) Your dog looks as smart as you said.

➡ 너의 개는 _____ 보인다.

(3) She tried to sing the song as beautifully as she could.

➡ 그녀는 _____ 그 노래를 부르려고 했다.

(4) This chair is not so comfortable as mine.

➡ 이 의자는 _____ 않다.

3
주

2 우리말을 참고하여 괄호 안에서 알맞은 표현을 고르세요.

(1) This watermelon tastes as (sweet / sweetly) as sugar.

➡ 이 수박은 설탕만큼 달다.

(2) Walk as (quiet / quietly) as possible in the hallway.

➡ 복도에서는 가능한 한 조용히 걸어라.

(3) Mr. Harris' farm is (three / three times) as large as my father's.

➡ Harris 씨의 농장은 우리 아버지 농장의 세 배만큼 크다.

(4) I cannot swim (so / much) fast as my coach.

➡ 나는 나의 코치 선생님만큼 빨리 수영하지 못한다.

Words

chop 썰다, 다지다   hallway 복도

4 Day 비교급 비교

하루 구문

- 형용사와 부사의 비교급을 사용하여 두 대상의 정도 차이를 비교하는 표현을 쓸 수 있다.

❶ This T-shirt is much smaller than my size.

❷ Is it smaller than you expected?

❸ I think it is a little bigger than yours.

❹ The more you buy, the better you predict. Buy another T-shirt now!

❶ 이 티셔츠는 내 사이즈보다 훨씬 더 작아. ❷ 네가 예상했던 것보다 더 작아?
❸ 네 것보다 조금 더 클 것 같아. ❹ 더 많이 살수록 더 잘 예측하지. 지금 다른 티셔츠를 사!

하루 개념 비교급 비교

- **비교급**을 사용한 비교 표현은 주로 「비교급+than+비교 대상」으로 쓰며, '…보다 더 ~한/하게'로 해석한다.
  (비교급: 형용사/부사+-er 또는 more+형용사/부사)
- 비교급의 강조: **much, a lot, far, even**+비교급 (훨씬 더 ~한/하게)

여러 가지 비교급 표현	의미
less+원급	덜 ~한
비교급+and+비교급	점점 더 ~한
the+비교급 ~, the+비교급 …	더 ~할수록 더 …하다

1 다음 문장을 우리말로 바르게 옮긴 것을 고르세요.

(1) This movie is more interesting than its original novel.

☐ 이 영화는 원작 소설보다 더 흥미롭다.

☐ 이 영화는 원작 소설만큼 매우 흥미롭다.

(2) Do you think you are much luckier than your friends?

☐ 너는 네가 네 친구들만큼 아주 운이 좋다고 생각해?

☐ 너는 네가 네 친구들보다 훨씬 더 운이 좋다고 생각해?

(3) It usually gets hotter and hotter in July.

☐ 대개 7월에는 날씨가 훨씬 더 덥다.

☐ 대개 7월에는 날씨가 점점 더 더워진다.

2 우리말을 참고하여 괄호 안의 어구로 문장을 완성하세요.

(1) This painkiller works _____ _____ that one.

➡ 이 진통제가 저것보다 더 잘 든다. (better, than)

(2) _____ _____ you sleep, _____ _____ you could be.

➡ 더 오래 잘수록, 더 피곤할 수 있다. (the, the, longer, more tired)

(3) Why should we wait longer _____ _____?

➡ 왜 우리가 저들보다 더 오래 기다려야 합니까? (them, than)

(4) The label says this scarf contains _____ _____ wool _____ that one.

➡ 라벨에 따르면 이 목도리에 저것보다 훨씬 더 많은 양모가 들어 있다.

(much, than, more)

Words

original 원작의   painkiller 진통제   work 작용하다   contain 함유하다, ~이 들어 있다   wool 울, (양)모

A 괄호 안의 어구를 배열하여 우리말과 같은 문장을 완성하세요.

1 극장은 우리 집에서 우리 학교만큼 가깝다.

(the theater, as my school, is, as close)

from my house.

2 이 코트는 스웨터 한 장만큼 값이 싸다.

(as a sweater, this coat, as cheap, is)

3 내 남동생은 내 나이의 절반이다.

(my younger brother, as I am, is, as old, half)

4 여름 방학은 겨울 방학만큼 길지 않다.

(as the winter vacation, the summer vacation, is, so long, not)

TiP 원급 비교의 기본 형태는 「as ~ as」입니다.

B 괄호 안의 어구를 배열하여 우리말과 같은 문장을 완성하세요.

1 그 이론은 내가 생각했던 것보다 훨씬 더 복잡하다.

(I thought, the theory, more complex, is, even, than)

2 밤이 길어질수록 낮이 짧아진다.

(the night, the day, the shorter, the longer, gets, gets)

3 그녀는 나이보다 훨씬 더 어려 보인다.

(much, her age, looks, she, than, younger)

4 영화는 대개 연극보다 더 많은 배우를 필요로 한다.

(a movie, usually, a play, than, more actors, needs)

비교 대상 앞에는 than을 씁니다.

Words

theory 이론   complex 복잡한   play 연극

최상급 비교

● 형용사와 부사의 최상급을 사용하여 '가장 ~한/하게'라는 의미를 나타낼 수 있다.

❶ 나는 반에서 가장 낮은 점수를 받았어.　❷ 오늘이 올해의 가장 더운 날이네.
❸ 지금까지 내가 본 중 가장 거센 비야.　❹ 오늘은 내 인생 최악의 날 중의 하나야.

하루 개념 | 최상급 비교

- **최상급**을 사용해서 '가장 ~한/하게'의 의미를 나타낸다. (최상급: 형용사/부사+**-est** 또는 **most**+형용사/부사)
- 최상급 앞에는 보통 **the**를 쓰며, 뒤에는 **비교 범위를 나타내는 표현**이 온다.

여러 가지 최상급 표현	의미
the+최상급 ~ +in+장소, 집단	…에서 가장 ~한/하게
the+최상급 ~ +of+복수 명사	… 중에서 가장 ~한/하게
one of the+최상급+복수 명사	가장 ~한 … 중의 하나
the+최상급+명사 (+that)+주어+have ever+과거분사	지금까지 …한 것 중 가장 ~한

1 다음 문장의 우리말 해석을 완성하세요.

(1) This is the busiest station on Subway Line No. 2.

➡ 이것은 지하철 2호선에서 ＿＿＿＿＿＿＿＿＿＿＿＿ 역이다.

(2) Ms. Clark is one of the most famous people in the country.

➡ Clark 씨는 국내에서 ＿＿＿＿＿＿＿＿＿＿＿ 중 하나이다.

(3) Which key is used most often on the keyboard?

➡ 어느 키가 키보드에서 ＿＿＿＿＿＿＿＿＿＿＿ 쓰일까?

(4) Mercury is the smallest planet in the Solar System.

➡ 수성은 태양계에서 ＿＿＿＿＿＿＿＿＿＿＿ 행성이다.

2 우리말을 참고하여 괄호 안에서 알맞은 표현을 고르세요.

(1) No. 20 was the hardest (in / of) all the questions.

➡ 20번은 모든 문제 중에서 가장 어려웠다.

(2) It is (taller / the tallest) building that I have ever seen.

➡ 그것은 지금까지 내가 본 것 중 가장 높은 건물이다.

(3) His painting is the most expensive (in / of) this gallery.

➡ 그의 그림은 이 화랑에서 가장 비싸다.

Words

busy 바쁜, 붐비는　Mercury 수성　planet 행성　gallery 화랑, 미술관

최상급 의미의 비교 표현

하루 구문

- 원급과 비교급 등을 활용하여 최상급과 같은 의미를 나타낼 수 있다.

❶ No other cat is cuter than you.

❷ No other person likes me as much as you. But stop it.

❸ I love you more than any other cat in the world.

❹ Do you know any other cat?

❶ 다른 어떤 고양이도 너보다 더 귀엽지 않아.
❷ 다른 어떤 사람도 너만큼 날 좋아하지 않아. 하지만 그만 해.
❸ 세상의 다른 어떤 고양이보다 더 널 사랑해.   ❹ 네가 다른 고양이를 안다고?

하루 개념 | 최상급 의미의 비교 표현

최상급과 같은 의미를 나타내는 여러 가지 표현	의미
비교급＋than＋any other＋단수 명사	다른 어떤 …보다 더 ~한/하게
비교급＋than＋all the other＋복수 명사	다른 모든 …보다 더 ~한/하게
No (other)＋A ~＋비교급＋than＋B	어떤 A도 B보다 더 ~하지 않다
No (other)＋A ~＋as[so]＋원급＋as＋B	어떤 A도 B만큼 ~하지 않다

1 다음 문장을 우리말로 바르게 옮긴 것을 고르세요.

(1) Megan runs faster than any other member in her team.

☐ Megan은 팀에 있는 다른 어떤 선수보다 더 빨리 달린다.

☐ 팀에 있는 다른 몇몇 선수들은 Megan보다 더 빨리 달린다.

(2) No other mountain is higher than Mt. Everest.

☐ 어떤 산은 에베레스트산보다 더 높지 않다.

☐ 다른 어떤 산도 에베레스트산보다 더 높지 않다.

(3) To me, history is more interesting than any other subject.

☐ 나에게는 역사가 다른 어떤 과목보다 더 흥미롭다.

☐ 나에게는 역사가 다른 과목과 달리 무척 흥미롭다.

2 우리말을 참고하여 괄호 안에서 알맞은 표현을 고르세요.

(1) (Anything / Nothing) is more important than life.

➡ 어떤 것도 생명보다 더 중요하지 않다.

(2) He was more talented (as / than) all the other participants.

➡ 그는 다른 모든 참가자들보다 더 재능이 있었다.

(3) No other mineral is as hard (as / than) diamond.

➡ 다른 어떤 광물도 다이아몬드만큼 단단하지 않다.

(4) No (other / others) player has scored more goals than Anthony in the league.

➡ 다른 어떤 선수도 리그에서 Anthony보다 더 많은 골을 기록하지 못했다.

Words

talented 재능이 있는   participant 참가자   mineral 광물   score 득점하다   league 리그, 연맹

최상급 비교

A 괄호 안의 어구를 배열하여 우리말과 같은 문장을 완성하세요.

1 나의 큰언니가 우리 가족 안에서 가장 키가 크다.

(in, my elder sister, the tallest, my family, is)

2 Oliver는 내가 지금까지 만나 본 중 가장 훌륭한 사람이다.

(Oliver, that, the best, is, have ever met, I, person)

3 이건 세계에서 가장 맛있는 치즈 피자야.

(the most delicious, the world, this, cheese pizza, is, in)

4 그것은 올해 가장 웃긴 영화 중 하나이다.

(it, of this year, of, one, movies, is, the funniest)

TiP 최상급 앞에는 대개 the를 쓰고, 뒤에는 범위를 나타내는 표현이 옵니다.

B 괄호 안의 어구를 배열하여 우리말과 같은 문장을 완성하세요.

1 사막에서는 어떤 것도 물보다 더 필요하지 않다.

(in the desert, more necessary, nothing, water, than, is)

2 한국에서 다른 어떤 스포츠도 야구만큼 인기 있지 않다.

(no, as popular, in Korea, is, other sport, as baseball)

3 주원은 학급에서 다른 어떤 학생보다 더 열심히 공부한다.

(Juwon, any other student, harder, studies, in the class, than)

4 나는 이 영화에서 Hans를 다른 모든 등장인물보다 더 좋아한다.

(Hans, in this movie, more, characters, I, than, all the other, like)

Words
elder 나이가 더 많은, 손위의   desert 사막   character (책·영화 등의) 등장인물

✐ 문장을 읽고, 네모 안에서 알맞은 표현을 고르세요.

01
수능
응용

Large animals are actually dangerous / less dangerous to hikers than smaller ones.

02
수능
응용

They were asked to judge that / whether the cars had run for the same time.

03
모의
응용

The development of transportation was one of the most important factor / factors in allowing modern tourism to develop on a large scale.

Q 현대 여행 산업이 큰 폭으로 발전하는 데 기여한 요소로 언급된 것은?

04
모의
응용

All of the children were asked that / what they thought would happen next in the story.

05
학평
응용

It was a bad idea to meet at that corner because / though people aren't allowed to stand there.

Q 'a bad idea'로 언급된 것을 우리말로 설명하시오.

Answers p. 19

// 문장을 읽고, 어법상 바르면 T에, 바르지 않으면 F에 표시하세요.

 06

A sleeping mother has the ability to identify the particular cry of her own baby. ⊤ F

 07

The more you know about your readers, the great the chances you will meet their expectations. ⊤ F

3
주

 08

I'd better get some sleep since a long, tough journey is ahead of me. ⊤ F

 글쓴이가 잠을 자는 게 낫겠다고 생각하는 이유를 우리말로 설명하시오.

 09

To produce two pounds of meat requires about 5 to 10 time as much water as to produce two pounds of vegetables. ⊤ F

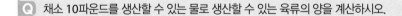 채소 10파운드를 생산할 수 있는 물로 생산할 수 있는 육류의 양을 계산하시오.

 10

This will give you time to think things through and finding a better way to deal with the other person. ⊤ F

What you learned this week

이번 주에 배운 것을 복습해 보세요.

 두 사람 중 누구의 말이 맞는지 표시하세요.

Day 1

☐ The boy waiting at the door was Randy.

☐ The girl waited at the door was Julie.

> **Tip** • to부정사는 형용사, 부사처럼 쓰일 수 있다.
> • 분사는 명사를 꾸미는 형용사로 쓸 수 있다. 현재분사는 능동·진행의 의미, 과거분사는 수동·완료의 의미이다.

Day 2

☐ I don't know how did you solve this puzzle.

☐ I don't know how you solved this puzzle.

> **Tip** • 접속사 that, if, whether 등이 이끄는 명사절이 문장에서 명사 역할을 할 수 있다.
> • 간접의문문은 「의문사+주어+동사」 또는 「if/whether+주어+동사」로 쓴다.

Answers p. 20

Day 3

☐ When I finish this work, I'll go out. ☐ When I'll finish this work, I'll go out.

Tip • 시간, 이유, 조건, 양보 등의 의미를 나타내는 부사절이 문장에서 부사 역할을 할 수 있다.

• 시간이나 조건을 나타내는 부사절에서는 현재 시제로 미래를 나타낸다.

Day 4

☐ This piece is much smaller than yours. ☐ This piece is smaller much than yours.

Tip • 원급 비교: as+형용사/부사 원급+as (…만큼 ~한/하게)

• 비교급 비교: 비교급+than (…보다 더 ~한/하게) / 비교급 강조: much, far, a lot, even+비교급

Day 5

☐ Nothing is better as being home. ☐ Nothing is better than being home.

Tip • 최상급 앞에는 보통 the를 쓰며, 원급과 비교급을 사용하여 최상급의 의미를 나타낼 수 있다.

A 주어진 문장에서 밑줄 친 부분을 고쳐 도표 내용과 일치하도록 문장을 다시 쓰세요.

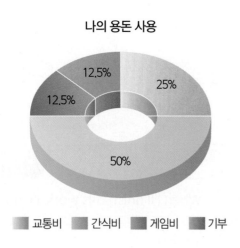

나의 용돈 사용

12.5%
12.5%
25%
50%

■ 교통비 ■ 간식비 ■ 게임비 ■ 기부

1 I spend money on transportation <u>half as much as</u> on games.

➡ _____

_____

2 I spend money on snacks <u>twice as much as</u> on games.

➡ _____

_____

3 I donate money as much as I spend on <u>snacks</u>.

➡ _____

 B 두 사람의 말을 알맞은 형태로 고쳐 문장을 완성하세요.

1

What do they need?

➡ She doesn't know _____ .

2

Did she write the book herself?

➡ He is wondering _____ .

Answers p. 21

C 짝지어진 말이 서로 의미가 통하면 Y에, 그렇지 않으면 N에 표시하세요.

1 No student is more diligent than Lily in her class.

   Y N

   Lliy is the most diligent student in her class.

2 This bag is twice as big as that one.

   Y N

   That bag is as small as this one.

3 I didn't hear the news, so I went to visit her.

   Y N

   I went to visit her since I didn't hear the news.

D 다음 중 어법상 <u>틀리게</u> 말한 사람을 고르세요.

주선 The island looks like a turtle floating in the sea.

우영 The boy snored at his desk is my brother.

수현 Don't go near the burning building.

E 다음 문장의 빈칸에 들어가기 어색한 말에 표시하세요.

1 We were given a _____ result.

- [ ] surprising
- [ ] confusing
- [ ] satisfied

2 I heard very _____ news from Aaron.

- [ ] interesting
- [ ] shocked
- [ ] disappointing

3 My brother doesn't eat _____ foods.

- [ ] steamed
- [ ] overcooked
- [ ] frying

F 자연스러운 의미가 되도록 주어진 접속사를 사용하여 두 문장을 연결하세요.

1

| I bought a bottle of water. | I was very thirsty. | because |

➡ _____

2

| Mr. Bailey left our school. | Andy doesn't know. | that |

➡ _____

3

| Don't turn on the air conditioner. | It is really hot. | unless |

➡ _____

G 주어진 글을 읽고, 빈칸에 알맞은 말을 쓰세요.

1

Leo Jisu Ethan Emily

- Jisu is taller than Leo.

- Ethan is taller than Jisu.

- Leo is taller than Emily.

(1) Ethan is _____ of the four.

(2) Jisu is _____ than Emily.

(3) Leo is _____ than Ethan.

2

Suho Tom Chris

- Suho has scored the most goals in the team.
- Chris runs faster than any other member in the team.
- Tom is the captain of the team. He is the oldest member in the team.

(1) Tom is _____ than _____ other member in the team.

(2) No other member has scored _____ goals _____ Suho in the team.

(3) No other member runs as fast as _____ in the team.

이번 주에는 무엇을 공부할까? ❶

Quiz

1 다음 중 명사를 꾸밀 수 있는 것은 무엇일까요?

① 명사절 ② 관계사절 ③ 부사절

2 다음 중 사실을 반대로 가정해서 말할 때 쓰는 것은 무엇일까요?

① 가정법 ② 수동태 ③ 간접의문문

 I have a sister.
나는 여동생이 있다.

\+

- She is good at dancing.
  그녀는 춤을 잘 춘다.
- Everyone loves her.
  모두가 그녀를 좋아한다.
- Her hobby is dancing.
  그녀의 취미는 춤 추기이다.

➡ I have a sister who is good at dancing. 나는 춤을 잘 추는 여동생이 있다.
　　　　　　　　　주격 관계대명사
➡ I have a sister whom everyone loves. 나는 모두가 좋아하는 여동생이 있다.
　　　　　　　　　목적격 관계대명사
➡ I have a sister whose hobby is dancing. 나는 취미가 춤 추기인 여동생이 있다.
　　　　　　　　　소유격 관계대명사

 May 8 is the day.
5월 8일은 그날이다.

\+

We express our thanks to
our parents on that day.
우리는 그날 부모님께 감사를 표현한다.

　　　　　　　　관계부사
➡ May 8 is the day when we express our thanks to our parents.
　　5월 8일은 우리가 부모님께 감사를 표현하는 날이다.

• Answers p. 22

 1 다음 문장을 읽고, 카드에 쓰인 관계대명사가 하는 역할을 골라 보세요.

(1) The painting which Beth drew was beautiful.

　　　[주격 / 목적격 / 소유격]

(2) Bob Dylan is a songwriter who won the Nobel Prize.

　　　　　[주격 / 목적격 / 소유격]

(3) The boy whose bike was stolen called the police.

　　　[주격 / 목적격 / 소유격]

~~Because she~~ was sick, she stayed in bed all day long.

➡ **Being sick**, she stayed in bed all day long. 아팠기 때문에 그녀는 종일 누워 있었다.
분사구문

현재의 사실 He doesn't have money, so he can't buy a drink.
그는 돈이 없어서, 음료수를 살 수 없다.

➡ 가정법 과거 **If he had** money, he **could buy** a drink.
만약 그가 돈이 있다면, 음료수를 살 수 있을 텐데.

• Answers p. 22

2 다음 문장을 읽고, 끊어 읽기로 해석해 보세요.

(1)

Arriving	late,	we	couldn't find	a room.
도착해서	늦게	우리는	찾을 수 없었다	방을

(2)

Reading	the novel,	I	ate	some popcorn.

(3)

If	I	were	you,	I	wouldn't	believe her.

Day 주격 / 목적격 관계대명사

하루 구문

- 관계대명사는 「접속사＋대명사」의 역할을 하며 관계대명사 앞의 명사(선행사)를 꾸미는 형용사절을 이끈다.

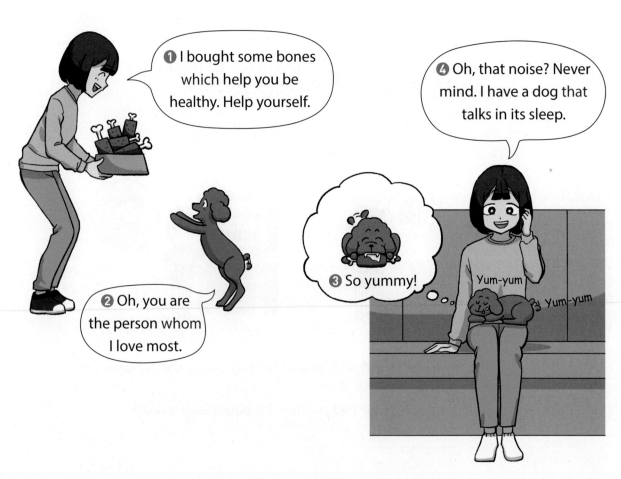

❶ I bought some bones which help you be healthy. Help yourself.

❷ Oh, you are the person whom I love most.

❸ So yummy!

❹ Oh, that noise? Never mind. I have a dog that talks in its sleep.

❶ 네가 건강하도록 도와주는 뼈다귀들을 샀어. 마음껏 먹어. ❷ 오, 너는 내가 가장 사랑하는 사람이야.
❸ 정말 맛있다! ❹ 아, 그 소리? 신경 쓰지 마. 내겐 잠꼬대하는 개가 있거든.

하루 개념 주격/목적격 관계대명사

- **주격 관계대명사**는 관계대명사절 안에서 **주어 역할**을 하고, **목적격 관계대명사**는 **목적어 역할**을 한다.
- 관계대명사는 **선행사**에 따라 구별해서 써야 한다.

선행사	주격 관계대명사	목적격 관계대명사
사람	who	who(m)
사물, 동물	which	which
사람, 사물, 동물	that	that

- **주격 관계대명사** 다음에는 **동사**가 오고, 동사의 수는 선행사에 일치시킨다.
- **목적격 관계대명사** 다음에는 「**주어＋동사**」가 온다. 목적격 관계대명사는 생략할 수 있다.

1 우리말을 참고하여 괄호 안에서 알맞은 관계대명사를 고르세요.

(1) A friend is someone (who / whom) likes you just the way you are.

➡ 친구는 당신을 있는 그대로 좋아해 주는 사람이다.

(2) Technology (who / which) produces pollution is usually cheaper.

➡ 오염을 발생시키는 기술은 보통 더 저렴하다.

(3) Ms. Sandler is a teacher (which / whom) every student respects.

➡ Sandler 선생님은 모든 학생이 존경하는 교사이다.

2 다음 문장에서 관계대명사절을 찾아 밑줄을 치고, 해석을 완성하세요.

(1) A girl who selected a small box received a hairpin.

➡ _____ 소녀는 머리핀을 받았다.

(2) My sister ate the cookies that I had baked for my grandma.

➡ 내 여동생은 _____ 쿠키를 먹어 버렸다.

(3) Frogs are animals which live both on land and in water.

➡ 개구리는 _____ 동물이다.

Words

technology (과학) 기술   produce 발생시키다   pollution 오염   select 선택하다   receive 받다

1 소유격 관계대명사

• 소유격 관계대명사는 관계대명사절 안에서 소유격 역할을 한다.

❶ Jina is my cousin whose hobby is fixing things.

❷ I'm repairing the cat house whose roof was damaged.

❸ What do you think?

❹ It looks cool!

❶ 지나 누나는 취미가 물건을 고치는 것인 내 사촌 누나이다. ❷ 난 지붕이 망가진 고양이 집을 수리하고 있어.
❸ 어떻게 생각해? ❹ 멋진데!

하루 개념 소유격 관계대명사

• 소유격 관계대명사는 **whose**이며, 「**소유격 관계대명사+명사**」의 형태로 쓴다.

선행사	소유격 관계대명사
사람	whose
사물, 동물	whose/of which

* 선행사가 사물, 동물일 때 of which와 바꿔 쓸 수 있다.

• 소유격 관계대명사는 생략할 수 없고, that과 바꿔 쓸 수 없다.

1 다음 문장에서 관계대명사절을 찾아 밑줄을 치고, 해석을 완성하세요.

(1) I know a boy whose mother is a movie star.

➡ 나는 ＿＿＿＿＿＿＿＿＿＿ 소년을 알고 있다.

(2) There are trees whose roots are underwater.

➡ ＿＿＿＿＿＿＿＿＿＿ 나무들이 있다.

(3) We saved a dog whose leg had been broken in the accident.

➡ 우리는 ＿＿＿＿＿＿＿＿＿＿ 개를 구했다.

2 우리말을 참고하여 관계대명사 whose의 위치로 알맞은 것을 고르세요.

(1) I had dinner ① at the ② restaurant ③ owner is Chinese.

➡ 나는 중국인이 주인인 식당에서 저녁을 먹었다.

(2) Are you one ① of the countless people ② mind and body ③ have been overworked?

➡ 여러분은 마음과 몸이 혹사당한 수많은 사람들 중 한 명입니까?

(3) Claude Monet ① is an artist ② works are mainly focused on scenes ③ of nature.

➡ Claude Monet는 주로 자연 풍경에 초점을 둔 작품을 그린 화가이다.

4
주

Words

root 뿌리   underwater 물속에   countless 수많은   overwork 과로하다, 혹사하다   mainly 주로
focus on ~에 초점을 두다   scene 풍경, 경관

기초 유형 연습

A 괄호 안의 어구를 배열하여 우리말과 같은 문장을 완성하세요.

1 균형 잡힌 식단으로 식사하지 않는 운동선수들이 많다.

(there are, eat, who, many athletes, do not, a balanced diet)

2 사하라 사막은 북아프리카 대부분의 지역에 걸쳐 있는 사막이다.

(which, is, a desert, the Sahara, most of North Africa, covers)

3 그녀는 그녀의 개가 내는 소리를 따라했다.

(the sound, her dog, that, made, imitated, she)

4 네가 비판했던 작가는 요청에 답을 하지 않을 것이다.

(won't reply, whom, the writer, you, criticized, to the request)

TIP 관계대명사절의 꾸밈을 받는 선행사가 무엇일지 먼저 찾아야 합니다.

B 괄호 안의 어구를 적절히 배열하여 문장을 완성한 뒤, 우리말로 해석하세요.

1 Look at the church _____.

(is covered, whose, with snow, roof)

2 The girl _____ is my classmate.

(hair, is, whose, short and curly)

3 This course is for students _____.

(first language, whose, is, not English)

4 I feel terrible for the people _____.

(were, houses, flooded, whose)

> 소유격 관계대명사는 관계사절 안에서
> 소유격 역할을 합니다.

Words

balanced 균형 잡힌   diet 식단   desert 사막   imitate 모방하다   reply 대답하다, 답장하다   criticize 비판하다
first language 모국어   flooded 침수된, 물에 잠긴

2 ^{Day} 관계대명사 what

- 관계대명사 what은 선행사를 포함하며, 명사절을 이끈다.

❶ I want to look stylish. Do you understand what I'm saying?

❷ So, let's get started.

❸ All done. Don't you think you look so pretty?

❹ It doesn't look like what I expected. What I want now is to turn back the clock.

❶ 나는 세련되게 보이고 싶어요. 내가 말하는 것을 이해하세요? ❷ 자, 시작해 보자.
❸ 다 됐다. 너 정말 예쁘다고 생각하지 않니? ❹ 이건 내가 기대한 것처럼 보이지 않아요. 내가 지금 원하는 것은 시간을 되돌리는 거예요.

하루 개념 관계대명사 what

- 관계대명사 what은 **선행사를 포함**하고 있어 앞에 선행사가 없으며 the thing(s) which[that]와 바꿔 쓸 수 있다.
- 관계대명사 what은 '**~하는 것**'이라고 해석하며, 주어, 보어, 목적어 역할을 하는 명사절을 이끈다.
- 접속사 that과 쓰임을 잘 구분해야 한다. 둘 다 명사절을 이끌지만 **접속사 that** 뒤에는 **완전한 절**이 나오고, **관계대명사 what** 뒤에는 **불완전한 절**이 나온다.

1 우리말을 참고하여 괄호 안에서 알맞은 것을 고르세요.

(1) (What / That) annoyed me most was his rudeness.

➡ 나를 가장 짜증나게 했던 것은 그의 무례함이었다.

(2) Innovation is the only thing (what / that) can save our economy.

➡ 혁신이 우리 경제를 구할 수 있는 유일한 것이다.

(3) Ben showed his teacher (that / what) he had in his pocket.

➡ Ben은 그의 선생님에게 호주머니에 있는 것을 보여 드렸다.

2 괄호 안에서 알맞은 말을 고른 뒤, 해석을 완성하세요.

(1) (That / What) matters to me is your happiness.

➡ 내게 _____은 네 행복이다.

(2) Your drawing will look completely different from (that / what) you are seeing with your mind's eye.

➡ 당신의 그림은 당신이 _____과 완전히 다르게 보일 것이다.

(3) People don't have to travel outside to find a store (which / what) sells (that / what) they need.

➡ 사람들은 그들이 _____을 파는 가게를 찾아 바깥을 헤맬 필요가 없다.

Words

annoy 짜증나게 하다 rudeness 무례함 innovation 혁신 economy 경제 matter 중요하다 completely 완전히

2 ^{Day} 관계부사

하루 구문

● 관계부사는 「접속사+부사」의 역할을 하며 시간, 장소, 이유, 방법을 나타내는 선행사를 꾸미는 절을 이끈다.

❶ Here's your dinner.

❷ Today is the day when I first met Mimi a year ago.

❸ This morning, I went to the place where we first met.

❹ I don't know the reason why she left me.

❺ Please tell me how I can live without her!

❻ Will you please stop talking while eating?

❶ 여기 네 저녁밥이야.　❷ 오늘은 1년 전 미미를 처음 만났던 날이야.　❸ 오늘 아침, 나는 우리가 처음 만났던 장소에 갔어.
❹ 난 그녀가 나를 떠난 이유를 알 수 없어.　❺ 내가 그녀 없이 살 수 있는 방법을 말해 줘!　❻ 먹으면서 말하지 말아 줄래?

하루 개념

관계부사

· 관계부사는 「**접속사+부사**」 역할을 하며, **시간·장소·이유·방법**의 선행사를 꾸미는 절을 이끈다.
· 선행사에 따라 알맞은 관계부사를 써야 하며, 「전치사+관계대명사」와 바꿔 쓸 수 있다.

의미	선행사	관계부사	전치사+관계대명사
시간	the time, the day, the year 등	when	in/at/on+which
장소	the place, the city, the town 등	where	in/at/on+which
이유	the reason	why	for which
방법	(the way)	how	in which

* 관계부사 **how**와 선행사 **the way**는 함께 쓰이지 않고 **하나가 생략**된다.

1 괄호 안에서 알맞은 관계부사를 고른 뒤, 해석을 완성하세요.

(1) Now is the time (when / why) we must work together.

➡ 지금이 우리가 협력해야 할 _____ 이다.

(2) Go to a quiet place (how / where) you are not likely to be disturbed.

➡ 네가 방해받지 않을 것 같은 조용한 _____ 로 가라.

(3) The teacher told us the reason (how / why) some birds fly in a V-formation.

➡ 선생님은 어떤 새들이 V자 대형으로 날아가는 _____ 를 우리에게 말씀해 주셨다.

2 우리말을 참고하여 괄호 안에 주어진 관계부사의 위치로 알맞은 것을 고르세요.

(1) I can't imagine ① the days ② there was ③ no cell phone. (when)

➡ 나는 휴대 전화가 없던 날들을 상상할 수 없다.

(2) She ① explained ② bees communicate ③ with each other. (how)

➡ 그녀는 벌이 서로 의사소통하는 방법을 설명했다.

(3) The interview will be held in a seminar room ① Andy met ② the principal ③ for the first time. (where)

➡ 면접은 Andy가 교장을 처음 만났던 세미나실에서 열릴 것이다.

Words

disturb 방해하다   formation (특정한) 대형   communicate with ~와 의사소통하다   be held 열리다   principal 교장

2 Day 기초 유형 연습

A 괄호 안의 어구를 배열하여 우리말과 같은 문장을 완성하세요.

1 이것은 내가 요구한 것이 아니다.

(not, asked for, I, what, is, this)

2 그녀는 내게 그녀가 벼룩시장에서 산 것을 보여주었다.

(me, what, bought, she, she, showed, at the flea market)

3 여러분을 놀라게 할지도 모르는 것은 그 학생들의 재능이다.

(may, you, the talents of those students, surprise, what, is)

4 그는 그가 한 일에 대해 대가를 치러야 했다.

(what, pay for, had done, he, he, had to)

관계대명사 what 앞에는 선행사가 없으며, what 다음에 불완전한 절이 온다는 점을 기억하세요.

B 괄호 안의 어구를 배열하여 우리말과 같은 문장을 완성하세요.
(단, 관계부사 when/where/why/how 중 알맞은 것을 <u>추가</u>할 것)

1 나는 그가 말하는 방식이 마음에 들지 않는다.

(talks, I, like, he, don't)

2 너는 최초의 올림픽이 열렸던 해를 아니?

(the first Olympics, do, know, you, were held, the year)

3 뉴욕은 여러분이 세계적으로 유명한 명소를 발견할 수 있는 도시이다.

(the city, world-famous attractions, you, can, New York, find, is)

4 그 영화가 크게 성공했던 이유가 있다.

(a big success, is, there, the movie, a reason, was)

> 관계부사는 시간, 장소, 이유, 방법을 나타내는 선행사를 꾸미는 절을 이끕니다. 관계부사 다음에는 완전한 절이 옵니다.

Words

surprise 놀라게 하다 talent 재능 pay for ~에 대한 대가를 치르다 world-famous 세계적으로 유명한
attraction 명소, 명물

3 ^{Day} 계속적 용법의 관계사

- 계속적 용법의 관계사는 선행사에 대해 부가적인 설명을 할 때 쓴다.

❶ I have two close friends, who are very different.

❷ I met them on Monday, when we heard the exam would be delayed.

❹ The exam will be delayed, which means I have more time to read comic books.

❸ Never put off till tomorrow what you can do today.

❶ 내게는 두 명의 친한 친구들이 있는데, 그 애들은 매우 다르다.   ❷ 나는 월요일에 그들을 만났는데, 그날 우리는 시험이 연기될 것이라는 말을 들었다.
❸ 오늘 할 일을 내일로 미루지 마라.   ❹ 시험은 미뤄질 것이고, 그것은 내가 만화책을 읽을 시간이 더 있다는 뜻이지.

하루 개념 | 계속적 용법의 관계사

- 계속적 용법의 관계사는 **선행사에 대해 보충 설명**을 하는 절을 이끈다. 이때 **명사, 구, 절** 모두 선행사가 될 수 있다.
- 계속적 용법의 관계사 앞에는 **콤마(,)**를 써야 하며, 주절에 이어 관계사절을 차례로 해석한다.
- 계속적 용법의 관계사는 생략할 수 없으며, 관계대명사 that과 what, 관계부사 why와 how는 계속적 용법으로 쓰지 않는다.

1 다음 문장의 해석으로 알맞은 것을 고르세요.

(1) He has two sons, who are English teachers.

　　☐ 그에게는 아들이 두 명 있는데, 그들은 모두 영어 선생님이다.

　　☐ 그에게는 아들이 여러 명인데, 그 중 두 명이 영어 선생님이다.

(2) The player retired after the World Cup, which surprised everyone.

　　☐ 그 선수는 모두를 놀라게 한 월드컵 경기 이후에 은퇴했다.

　　☐ 그 선수는 월드컵 경기 후에 은퇴했고, 그것은 모두를 놀라게 했다.

(3) The girl told him that I had broken the window, which was a lie.

　　☐ 그 소녀는 내가 창문을 깼다고 그에게 말했는데, 그것은 거짓말이었다.

　　☐ 그 소녀는 내가 창문을 깼고, 거짓말을 했다고 그에게 말했다.

2 우리말과 같도록 빈칸에 알맞은 관계사를 쓰세요.

(1) We moved to Busan, _____ we lived for 10 years.

　➡ 우리는 부산으로 이사 갔고, 거기서 10년 동안 살았다.

(2) She recommended this book, _____ changed my whole life.

　➡ 그녀는 이 책을 추천했는데, 그것은 내 인생 전부를 바꿔놓았다.

(3) Elvis Presley, _____ died decades ago, is still loved by millions.

　➡ Elvis Presley는 수십 년 전에 사망했지만, 여전히 수백만 명의 사람들에게 사랑받는다.

Words

retire 은퇴하다　recommend 추천하다　whole 전체의　decade 십 년　million 백만

3 Day 복합관계사

하루 구문

- 복합 관계대명사의 형태는 「관계대명사＋-ever」, 복합 관계부사의 형태는 「관계부사＋ -ever」이다. 둘 다 선행사를 포함한다.

❶ Whoever sees him falls in love with him.

❷ His fans follow him wherever he goes.

❸ Whatever he wears, he looks perfect to me.

❹ Whenever he smiles, I feel like he loves me.

❺ However long it takes, I will wait for him.

❻ Dream on!

❶ 그를 보는 누구든지 그와 사랑에 빠져. ❷ 그의 팬들은 그가 어딜 가든 그를 따라다니지. ❸ 그가 무엇을 입든, 그는 내게 완벽해 보여.
❹ 그가 미소 지을 때마다 난 그가 날 사랑하는 것 같아. ❺ 얼마나 오랜 시간이 걸리든, 난 그를 기다릴 거야. ❻ 꿈 깨!

하루 개념 복합관계사

- **복합 관계대명사**(관계대명사＋-ever)는 주어 또는 목적어 역할을 하는 **명사절**이나 **양보의 부사절**을 이끈다.
- **복합 관계부사**(관계부사＋-ever)는 **시간·장소의 부사절**이나 **양보의 부사절**을 이끈다.

복합 관계대명사	명사절	양보의 부사절	복합 관계부사	시간·장소의 부사절	양보의 부사절
whoever	~하는 누구든지	누가 ~하더라도	whenever	~할 때마다	언제 ~하더라도
whomever	~하는 누구든지	누구를 ~하더라도	wherever	~한 곳 어디에나	어디에(서) ~하더라도
whichever	~하는 어느 것이든지	어느 것이[을] ~하더라도	however	–	어떻게 ~하더라도
whatever	~하는 무엇이든지	무엇이[을] ~하더라도	* however＋형용사[부사]: 아무리 ~하더라도		

1 다음 문장의 해석으로 알맞은 것을 고르세요.

(1) Give the ticket to whoever needs it.

☐ 그 표가 필요한 사람에게 무엇이든 주어라.

☐ 그 표가 필요한 누구에게든지 그것을 주어라.

(2) Whenever I talk to her, my heart beats fast.

☐ 내가 그녀에게 말을 할 때마다 내 심장은 빠르게 뛴다.

☐ 내가 그녀에게 무슨 말을 하더라도 내 심장은 빠르게 뛴다.

(3) However hard I tried, I failed to get the ball.

☐ 아무리 열심히 노력해도 나는 공을 잡는 데 실패했다.

☐ 열심히 노력하지 않았기 때문에 나는 공을 잡는 데 실패했다.

2 우리말을 참고하여 괄호 안에서 알맞은 것을 고르세요.

(1) (Whatever / However) he suggests, I will agree to it.

➡ 그가 무엇을 제안하든, 나는 그것에 동의할 것이다.

(2) (Whenever / Wherever) you go on this globe, you can get along with English.

➡ 이 지구상의 어디에 가더라도, 당신은 영어로 살아갈 수 있다.

(3) This shirt comes in seven colors. You can choose (whoever / whichever) you like.

➡ 이 셔츠는 일곱 가지 색으로 나옵니다. 당신은 마음에 드는 어느 것이든 고를 수 있어요.

Words

beat (심장이) 고동치다　suggest 제안하다　globe 지구　get along with ~으로 살아가다

3 Day 기초 유형 연습

A 괄호 안의 어구를 배열하여 우리말과 같은 문장을 완성하세요.
(단, 관계사는 계속적 용법으로 쓸 것)

1 그들은 한 작은 마을에 도착했고, 그곳에서 밤을 보냈다.

(where, reached, the night, spent, they, they, a small village)

2 나는 삼촌을 우연히 만났는데, 나는 그를 오랫동안 만나지 못했었다.

(for a long time, I, my uncle, ran into, hadn't seen, I, whom)

3 그 마을은 허리케인에 의해 강타당했고, 그것은 모든 것을 파괴했다.

(was hit, which, everything, by a hurricane, the town, destroyed)

4 그는 숙제를 가져오는 것을 잊었고, 그것이 선생님을 화나게 했다.

(made, to bring, he, his homework, which, his teacher, forgot, angry)

TIP 계속적 용법의 관계사 앞에는 콤마(,)를 써야 합니다.

B 다음 문장을 우리말로 해석하세요.

1 Whoever breaks the rule should be punished.

2 We are going to do whatever is necessary to support you.

3 Whenever you feel depressed, try walking in the forest.

4 However smart he may be, he is still a child.

5 You can see the castle, wherever you are in the city.

however는 양보의 부사절을 이끌며, 대개 「however +형용사/부사+주어+동사 ~」로 쓰입니다.

Words

reach 이르다, 다다르다   run into ~와 우연히 만나다   destroy 파괴하다   break 어기다   punish 벌을 주다
support 지원하다, 지지하다   depressed 우울한   castle 성

분사구문의 의미

하루 구문

• 분사구문은 부사절에서 접속사와 주어를 생략하고 동사를 현재분사로 바꿔 부사구로 만든 것이다.

❶ Being sick of getting up late, I bought this propeller alarm clock.

❷ When the alarm sounds, the propeller shoots up into the air, flying around my room.

❸ Fly like a butterfly and …

❹ Sting like a bee!

❺ Forcing a smile, he is crying.

❶ 늦게 일어나는 것에 질려서, 나는 이 프로펠러 알람시계를 샀어.　❷ 알람이 울리면, 프로펠러가 공중으로 튀어 올라서 내 방을 날아다녀.
❸ 나비처럼 날아…　❹ 벌처럼 쏴라!　❺ 억지로 웃으며 그는 울고 있구나.

하루 개념 분사구문의 의미

• 분사구문 만드는 법: ① 접속사 생략 ② 부사절의 주어 생략(주절의 주어와 같을 때) ③ 동사를 현재분사로 바꾸기
  e.g. As he ate dinner, he watched TV. → **Eating** dinner, he watched TV.
• 분사구문은 **시간, 이유, 동시동작, 조건, 양보** 등 다양한 의미를 나타낸다. 주절과의 관계를 잘 살펴 해석해야 한다.
• 의미를 명확히 하기 위해 접속사를 생략하지 않기도 한다.

1 다음 문장의 해석으로 알맞은 것을 고르세요.

(1) Being very busy, I had to skip dinner.

☐ 너무 바빠서 나는 저녁을 걸러야 했다.

☐ 너무 바빴지만 나는 저녁을 거르지 않았다.

(2) Turning to the left, you can see the theater.

☐ 왼쪽으로 돌면 극장이 보일 것이다.

☐ 극장은 왼쪽을 향하고 있어서 너는 그것을 볼 수 있다.

(3) Cleaning out the attic, Jessica found her old clothes.

☐ Jessica는 그녀의 낡은 옷들을 찾기 위해 다락방을 청소했다.

☐ Jessica는 다락방을 청소하다가 그녀의 낡은 옷들을 발견했다.

2 우리말을 참고하여 밑줄 친 부분을 분사구문으로 고쳐 쓰세요.

(1) <u>As I listened to music</u>, I washed the dishes.

(나는 음악을 들으면서 설거지를 했다.)

➡ _____, I washed the dishes.

(2) <u>When she opened the door</u>, she smelled something burning.

(문을 열었을 때, 그녀는 무언가 타는 냄새를 맡았다.)

➡ _____, she smelled something burning.

(3) <u>Because he got poor grades</u>, he was very disappointed.

(그는 형편없는 성적을 받아서 매우 실망했다.)

➡ _____, he was very disappointed.

Words ♪

skip 거르다[빼먹다]   attic 다락방   burn 타다

Day 4 분사구문의 시제와 형태

하루 구문

- 단순 분사구문은 주절과 부사절의 시제가 같을 때 쓰고, 완료 분사구문은 부사절의 시제가 주절보다 앞설 때 쓴다.

❶ Wanting to be a leader, I trained myself every day.

❷ Having trained myself for years, I'm strong enough to be a leader now.

❸ It being cold, I must get back home.

❶ 대장이 되고 싶어서, 나는 매일 스스로를 단련했지.
❷ 수년간 단련했으니, 이제 나는 대장이 될 만큼 충분히 강해.
❸ 날이 추워서 난 이만 집에 가야겠네.

하루 개념 | 분사구문의 시제와 형태

	단순 분사구문	완료 분사구문
부사절의 시제와 주절의 시제	같은 시제	부사절의 시제가 주절보다 앞선 시제
능동	현재분사 ~	having+과거분사 ~
수동	(being+) 과거분사 ~	(having been+) 과거분사 ~

- 수동태의 분사구문에서는 보통 **being** 또는 **having been**을 **생략**하고 과거분사로 시작한다.
- 분사구문의 부정은 분사 앞에 **not[never]**을 쓴다. 완료 분사구문은 「**not[never]+having+과거분사**」로 쓴다.
- **독립분사구문**은 부사절과 주절의 주어가 다를 때, 부사절의 주어를 분사 앞에 남겨 두는 분사구문이다.

1 우리말을 참고하여 괄호 안에서 알맞은 것을 고르세요.

(1) (Being / Been) badly injured, I had to quit tennis.

➡ 심하게 부상을 당해서 나는 테니스를 그만둬야 했다.

(2) (Tried / Having tried) to solve the problem, we received a lot of comments and messages.

➡ 그 문제를 해결하려 노력했는데도, 우리는 많은 비판과 메시지를 받았다.

(3) (Being / It being) snowy, we couldn't go hiking.

➡ 눈이 와서 우리는 하이킹을 갈 수 없었다.

2 주어진 단어를 이용하여 우리말에 맞게 문장을 완성하세요.

(1) _____ _____ what to say, I just remained silent. (not, know)

➡ 무슨 말을 해야 할지 알지 못해서 나는 그냥 조용히 있었다.

(2) _____ by a famous writer, the novel became a best-seller immediately. (write)

➡ 유명한 작가에 의해 쓰였기 때문에, 그 소설은 즉시 베스트셀러가 되었다.

(3) _____ _____ the movie many times, I remember every scene of the movie. (watch)

➡ 나는 그 영화를 여러 번 봤기 때문에 영화의 모든 장면을 기억하고 있다.

Words

injured 부상을 당한   quit 그만두다   comment 논평, 비판   remain 계속 ~이다   immediately 즉시   scene 장면

A 분사구문에 밑줄을 치고 우리말로 해석하세요.

1 Using this tool, you'll be able to communicate with people.

2 He was walking in the park, pushing his grandpa in a wheelchair.

3 Accepting what you say, I'm still against your plan.

4 Seeing his face, I realized that something terrible was going on.

5 Being excited about the trip, they couldn't sleep all night.

TiP 분사구문은 시간, 이유, 동시동작, 조건, 양보 등의 의미를 나타냅니다.

Answers p. 26

B 괄호 안의 어구를 배열하여 우리말과 같은 문장을 완성하세요. (단, 분사구문으로 시작할 것)

1 돈을 다 썼기 때문에 그는 곤경에 처해 있다.

(in trouble, he, having, all of his money, spent, is)

2 그는 몸이 좋지 않아서, 학교에 가지 않았다.

(didn't, he, well, feeling, go to school, not)

3 천둥번개에 놀라서, 나는 가방을 떨어뜨렸다.

(by the thunder and lightning, I, my bag, surprised, dropped)

4 아기가 의자에 걸려 넘어지자 아버지는 아기에게 달려갔다.

(the baby, over a chair, ran, the father, falling, to her)

> 완료 분사구문은 「having + 과거분사」의 형태로 부사절의 시제가 주절보다 앞설 때 씁니다.

Words

tool 도구   wheelchair 휠체어   accept 인정하다, 받아들이다   thunder 천둥   lightning 번개   fall over ~에 걸려 넘어지다

Day 5 가정법 과거

- 실제와 반대되거나, 일어날 가능성이 적다고 생각되는 일을 나타낼 때 가정법을 쓴다. 가정법 과거는 현재 사실과 반대되는 일을 가정한다.

❶ I'll buy this spicy *ramyeon*.

❷ Oh, if I enjoyed spicy foods, I would buy it too.

❸ I wish you enjoyed spicy foods. This is really tasty!

❹ If it were less spicy, I could eat it.

❶ 나는 이 매운 라면을 살래. ❷ 아, 내가 매운 음식을 잘 먹는다면, 나도 그걸 살 텐데.
❸ 네가 매운 음식을 잘 먹으면 좋을 텐데. 이거 정말 맛있거든! ❹ 그게 좀 덜 맵다면 나도 먹을 수 있을 텐데.

하루 개념 | 가정법 과거

- **가정법 과거**는 현재 사실과 반대되거나, **현재 이루어질 가능성이 희박한 일**을 가정한다.

가정법 과거의 형태	의미
「If+주어+동사 과거형 ~, 주어+조동사 과거형+동사원형 …」 * 접속사 if가 이끄는 절을 뒤에 쓸 수도 있다. * if절의 동사가 be동사일 때에는 주어에 관계없이 were를 쓴다.	만약 ~한다면, …할 텐데 (현재 사실과 반대되는 일)
I wish+주어+were/동사 과거형 ~	~라면 좋을 텐데 (현재에 대한 아쉬움)

- 「as if+주어+were/동사 과거형」은 주절과 같은 시점의 사실과 반대 상황을 가정한다. (마치 ~인 것처럼)

개념 원리 확인 ①

Answers p. 26

1 다음 문장의 해석으로 알맞은 것을 고르세요.

(1) If I felt cold, I would close the windows.

☐ 나는 추워서, 창문을 닫으려 했다.

☐ 내가 춥다면, 나는 창문을 닫을 텐데.

(2) If you visited him, you could get his advice.

☐ 네가 그를 방문한다면, 그의 조언을 얻을 수 있을 텐데.

☐ 너는 그를 방문했으니, 그의 조언을 얻을 수 있었던 거야.

(3) I wish my dog could understand my words.

☐ 내 개가 내 말을 이해할 수 있다면 좋을 텐데.

☐ 나는 내 개가 내 말을 이해할 수 있다고 생각해.

2 우리말을 참고하여 괄호 안에서 알맞은 것을 고르세요.

(1) Kyle (will / would) buy the cell phone if it (has / had) a better camera.

➡ 그 휴대 전화가 더 좋은 카메라를 가지고 있다면 Kyle은 그것을 살 텐데.
  (그렇지 않아서 Kyle은 그 휴대 전화를 사지 않을 것이다.)

(2) I (can / could) make a sweater for you if I (know / knew) how to knit.

➡ 내가 뜨개질하는 법을 안다면 나는 네게 스웨터를 만들어 줄 수 있을 텐데.
  (그렇지 않아서 나는 네게 스웨터를 만들어 줄 수 없다.)

(3) My sister acts as if she (agrees / agreed) with me.

➡ 내 여동생은 마치 내게 동의하는 것처럼 행동한다. (사실, 동의하지 않는다.)

Words

get advice 조언을 얻다   knit 뜨개질을 하다   agree with ~에게 동의하다

5 ^{Day} 가정법 과거완료

하루 구문

- 가정법 과거완료는 과거 사실과 반대되는 일을 가정한다.

❶ If it had rained in the morning, we couldn't have come here to camp.

❷ If we had not come here, we would have been bored at home.

❸ Ahh ... If I had checked carefully, I would have brought the burner.

❹ I wish we had stayed at home.

❶ 아침에 비가 왔으면 우리는 여기 캠핑하러 못 왔을 거야.　❷ 우리가 여기 오지 않았으면 집에서 지루했을 텐데.
❸ 아… 내가 주의 깊게 확인했으면 버너를 가져왔을 텐데.　❹ 우리가 집에 있었으면 좋을 텐데.

하루 개념 　가정법 과거완료

- **가정법 과거완료**는 **과거의 사실과 반대되는 일**을 가정한다.

가정법 과거완료의 형태	의미
「If+주어+had+과거분사 ~, 주어+조동사 과거형+have+과거분사 …」	만약 ~했다면, …했을 텐데 (과거 사실과 반대되는 일)
I wish+주어+had+과거분사 ~	~했더라면 좋을 텐데 (과거에 대한 아쉬움)

- 「as if+주어+had+과거분사」는 주절보다 앞선 시점의 사실과 반대 상황을 가정한다. (마치 ~이었던 것처럼)

1 다음 문장의 해석으로 알맞은 것을 고르세요.

(1) If you had arrived on time, you could have met Bill.

☐ 네가 제시간에 온다면 Bill을 만날 수 있을 거야.

☐ 네가 제시간에 왔다면 Bill을 만날 수 있었을 텐데.

(2) I wouldn't have seen the movie if I had read the review.

☐ 내가 그 리뷰를 읽었다면 그 영화를 보지 않았을 텐데.

☐ 나는 그 영화를 보지 않을 생각이라 그 리뷰를 읽었다.

(3) The cake looked as if it had been baked by a 5 year old.

☐ 케이크는 5살짜리에 의해 구워진 것처럼 보였다.

☐ 케이크는 아마도 5살짜리에 의해 구워질 것 같다.

2 우리말을 참고하여 괄호 안에서 알맞은 것을 고르세요.

(1) I could (answer / have answered) her question if I had had more time.

➡ 시간이 더 있었으면 나는 그녀의 질문에 답할 수 있었을 텐데.

(2) If you (stayed / had stayed) up late last night, you could have seen the shooting stars.

➡ 네가 어젯밤에 늦게까지 깨어 있었다면 유성을 볼 수 있었을 텐데.

(3) I wish I (studied / had studied) Chinese before visiting China.

➡ 내가 중국을 방문하기 전에 중국어를 공부했더라면 좋을 텐데.

Words

arrive on time 제시간에 도착하다   review 리뷰, 비평   stay up 깨어있대[안 자다]   shooting star 유성, 별똥별

A 괄호 안의 어구를 배열하여 우리말과 같은 문장을 완성하세요.

1 내가 너라면, 나는 그녀에게 사과하지 않을 거야.

(if, I, I, would not apologize, were you, to her)

2 날씨가 좋다면, 그들은 침구를 세탁할 텐데.

(if, they, the weather, wash bedclothes, were sunny, would)

3 네가 패스트푸드를 더 적게 먹는다면 너는 더 건강할 수 있을 텐데.

(you, less fast food, you, be healthier, if, ate, could)

4 내가 그녀에게 선물을 사 줄 여윳돈이 있으면 좋을 텐데.

(I, to buy a present, I wish, had extra money, for her)

TiP

가정법 과거의 기본 형태인 「If+주어+were/동사 과거형 ~, 주어+조동사 과거형+동사원형 …」을 기억하세요.

B 다음 문장을 우리말로 해석하세요.

1 The baby cried as if he had seen a monster.

2 I wish they had found the truth by themselves.

3 She could have put the laptop in her bag if it had been smaller.

4 If he had worn the seatbelt, his injuries would have been different.

가정법 과거완료의 기본 형태인 「If＋주어＋had＋과거 분사 ~, 주어＋조동사 과거형＋have＋과거분사…」를 기억하세요.

Words

apologize 사과하다 bedclothes 침구 extra 추가의, 여분의 monster 괴물 injury 부상

// 문장을 읽고, 네모 안에서 알맞은 표현을 고르세요.

01

Your statement will be used to track down the people who / which committed the crime.

Ｑ 위 문장에서 관계대명사의 선행사는?

02

So a patient whom / whose heart has stopped can no longer be regarded as dead.

03

Written language is more complex, which / that makes it more work to read.

Ｑ 위 문장에서 관계대명사가 가리키는 것을 우리말로 간단히 쓰시오.

04

Do not do to others what / that you would not want others to do to you.

Ｑ 위 문장에서 첫 번째 others가 관계대명사의 선행사이면 ○, 아니면 ×에 표시하시오. (○ / ×)

05

If they stop / stopped to think, they would realize that the cost of processing the donation is likely to exceed any benefit it brings to the charity.

✔️ 문장을 읽고, 어법상 바르면 T에, 바르지 않으면 F에 표시하세요.

06
Don't be afraid to try different things, however old you are. **T** F

07
The simple reason how the majority of scientists are not creative is because they don't stop thinking. **T** F

08
If he had not disrupted their sleeping routines, the workshop may had ended without any changes. **T** F

09
Having spent that night in airline seats, the company's leaders came up with a good idea. **T** F

Q 위 문장에서 분사구문을 접속사 after를 이용하여 부사절로 바꿔 쓰시오.

10
Standing up and sitting down, Keith played the piano to produce something unique. **T** F

What you learned this week

이번 주에 배운 것을 복습해 보세요.

 다음 그림의 상황을 설명한 문장에서 알맞은 말을 고르세요.

Day 1

She found a dog (☐ who / ☐ which) seemed to be lost. The boy (☐ who / ☐ whose) lived next door came and said that it was his dog.

> **Tip** 선행사가 사람인지 또는 사물·동물인지에 따라 관계대명사를 다르게 쓴다.

Day 2

The magician made the bird disappear. The audience couldn't believe (☐ that / ☐ what) they saw. They wanted to know (☐ how / ☐ the way how) he did it.

> **Tip** • 관계대명사 what은 선행사를 포함하며, 주어·보어·목적어 역할을 하는 명사절을 이끈다.
> • 관계부사는 선행사에 따라 when, where, why, how를 쓰는데, 관계부사 how와 the way는 함께 쓰지 않는다.

When I met Eric this morning, I said hello to him. He ignored me and passed me by, (☐ that / ☐ which) made me angry.

Tip 계속적 용법의 관계사는 선행사에 대해 보충 설명을 하며, 관계대명사 that은 이 용법으로 쓰일 수 없다.

(☐ Leaving / ☐ Left) alone in the dark, the boy got scared. (☐ Calling / ☐ Called) out for help, he ran down the road.

Tip 분사구문은 부사절의 접속사와 주어를 생략하고, 동사를 현재분사로 바꿔 만든다.

If she (☐ hasn't / ☐ hadn't) overslept, she wouldn't have missed the airport bus. She thought, "I wish I (☐ hadn't woke / ☐ had woken) up earlier."

Tip • 가정법 과거는 「If+주어+were/동사 과거형 ~, 주어+조동사 과거형+동사원형 …」으로 쓴다.
• 가정법 과거완료는 「If+주어+had+과거분사 ~, 주어+조동사 과거형+have+과거분사 …」로 쓴다.

A 다음 빈칸에 들어갈 수 있는 말에 모두 표시하세요.

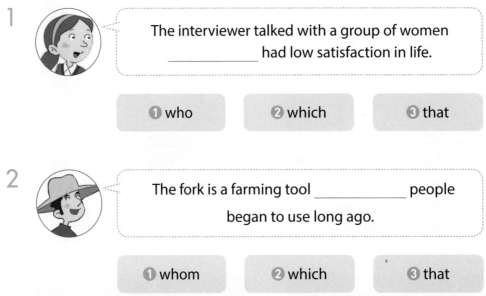

1
The interviewer talked with a group of women _____ had low satisfaction in life.

   ❶ who   ❷ which   ❸ that

2
The fork is a farming tool _____ people began to use long ago.

   ❶ whom   ❷ which   ❸ that

B 다음 우리말을 참고하여 필요한 카드만 골라 문장을 완성하세요.

1 Brian은 이름이 Coco인 고양이를 기른다.

➡ Brian has _____ is Coco.

   a cat   name   that   whose

2 그 약은 '항생물질'이라고 불리는데, 그것은 '박테리아의 생명에 대항하는 것'을 의미한다.

➡ The medicines are called "antibiotics," _____ "against the life of bacteria."

   that   means   what   which

C 다음 대화를 읽고, 둘 중 관계사를 <u>잘못</u> 쓴 사람을 고르세요.

1
❶ Is this what you're looking for?

❷ Yes! That's the bag what I lost.

2
❶ Do you know the reason when she got upset?

❷ I don't know, but she gets upset whenever I talk to her.

D 알맞은 관계사를 이용하여 두 문장을 한 문장으로 쓰세요. (단, that은 <u>제외</u>할 것)

1
| I met a stranger. | He looked tired and hungry. |

➡ _____

2
| This is the song. | He wrote it for his mom. |

➡ _____

3
| I visited the town. | I was born there. |

➡ _____

E 다음 문장의 의미를 바르게 설명한 것을 고르세요.

1 Taking a nap, I didn't get his call.

① If I took a nap, I couldn't get his call.

② Because I took a nap, I didn't get his call.

2 Having eaten some sweets, Jason brushed his teeth.

① While Jason was eating some sweets, he brushed his teeth.

② After Jason had eaten some sweets, he brushed his teeth.

F 〈보기〉와 같이 의미가 통하도록 (A), (B)에서 각각 알맞은 말을 골라 문장을 완성하세요.
(단, (A)에 주어진 표현은 분사구문으로 바꾸어 문장의 앞에 쓸 것)

(A)	(B)
· enter the concert hall	· she waved at her fans
· play soccer in the rain	· I soon fell asleep
· visit our website	· he hurt his leg
· be tired with hard work	· you can see our product list

보기
> Entering the concert hall, she waved at her fans.

1 _____

2 _____

3 _____

Answers p. 29

 각 인물이 진술한 문장을 주어진 〈조건〉에 맞게 바꿔 쓰세요.

1

I don't have the book, so I can't lend it to you.

↓

조건 가정법 과거를 이용할 것

If I _____ the book, I _____ it to you.

2

I'm sorry that I'm not brave.

↓

조건 I wish 가정법 과거를 이용할 것

I wish I _____ brave.

3

I didn't finish my homework, so I couldn't go skating.

↓

조건 가정법 과거완료를 이용할 것

If I _____ my homework, I _____ skating.

4

I'm sorry that I forgot my dad's birthday.

↓

조건 I wish 가정법 과거완료를 이용할 것

I wish I _____ my dad's birthday.

고등영어 내신·수능 어휘 기본서

고등 영어, 무조건 어휘력이다!

VOCA 다:품

[고교 필수 영단어] [수능 기본 영단어]

어휘 STARTER

핵심만 빠르게 익히는 〈고교 필수 영단어〉
기출 문장으로 외우는 〈수능 기본 영단어〉
다:품으로 영단어 공부 START!

암기 효율 100%

혼동어, 유의어, 반의어, 파생어
헷갈리는 단어는 쌍으로 암기!
어휘 Tip으로 어휘력과 상식 UPGRADE!

미니 단어장 제공

QR로 보는 '발음+찔강'과 '출제 프로그램'
'미니 단어장'으로 자투리 시간도 알차게,
풍부한 부가자료로 영어 완·전·정·복!

내신+수능+모의고사 어휘 다~ 품은 다:품! 고교 필수 영단어: 예비고~고1 / 수능 기본 영단어: 고1~2

시작해 봐, 하루 시리즈로!

#천재와_수능 기초력_쌓고
#공부 습관_만들고!

시작은 하루 수능 국어

- 국어 기초
- 문학 기초
- 독서 기초

이 교재도 추천해요!

- 개념에서 기출까지! 국어 영역별 기본서 **100인의 지혜**
- 고등 문학, 단 하나의 해법! **해법문학 + 해법문학Q**

시작은 하루 수능 수학

- 수학 기초
- 수학 Ⅰ
- 수학 Ⅱ

이 교재도 추천해요!

- 내신 완성 해결책 **해결의 법칙 시리즈**

시작은

하루
수능

정답과 해설

영어영역

구문
기초

천재교육

정답과 해설
포인트 ③가지

▶ 혼자서도 이해할 수 있는 친절한 문제 풀이

▶ 긴 문장을 쉽게 해석하게 도와주는 끊어 읽기 BOX

▶ 자세하고 명확한 해설로 수능 영어를 한층 더 쉽게!

문장의 구성

1 (1) 주어 (2) 주어, 목적어 (3) 주어, 목적어
2 (1) 주격 보어 (2) 목적격 보어 (3) 주격 보어

1 해석 (1) 그 말은 빠르게 달린다.
　(2) 아이들은 토끼 한 마리를 잡았다.
　(3) 누군가 내 이름을 낮은 목소리로 불렀다.
2 해석 (1) Emily와 Eugene은 겁에 질렸다.
　(2) 내 친구들은 그를 Danny 삼촌이라고 부른다.
　(3) 병에 든 우유는 상했다.

1^{Day} 주어: 명사, 대명사

개념 원리 확인 ①   p. 13

1 (1) 나무는 이 계절에 햇빛과 비를 필요로 한다.
　(2) 그는 농장에서 말과 소 몇 마리를 길렀다.
　(3) 파란 셔츠를 입은 그 소녀는 내 여동생이다.
2 (1) Fred and you, Fred와 너는
　(2) Who, 누가
　(3) Those blue birds, 저 파란 새들은

1 (1) 주어는 Trees이다.
　(2) 주어는 He이다.
　(3) 주어는 The girl in a blue shirt이다.

1^{Day} 주어: 동명사, to부정사, 명사절

개념 원리 확인 ②   p. 15

1 (1) 진실을 말하는 것이 우리 모두에게 좋다.
　(2) 햇볕을 쬐며 걷는 것이 두통을 일으켰다.
　(3) 내가 그 남자에 대해 알고 있던 것은 전혀 사실이 아니었다.

2 (1) 주어 Putting a message in a bottle / was
　(2) 주어 To do magic tricks / makes
　(3) 주어 Recycling plastic items / helps

1 (1) 주어는 to부정사구인 To tell the truth이다.
　(2) 주어는 동명사구인 Walking in the sun이다.
　(3) 주어는 관계대명사절인 What ~ the man이다.

2 (1)~(3) 주어로 쓰인 동명사(구)와 to부정사(구)는 단수로 취급한다.

1^{Day} 기초 유형 연습   pp. 16~17

A 1 Anyone can join our club.
　2 A man with a white hat was standing in front of the door.
　3 The flowers in the garden were planted last spring.
　4 He and his friend returned to their hometown.

B 1 Wearing a seat belt, 안전벨트를 매는 것이 당신을 안전하게 지켜준다.
　2 That water boils at 100℃, 물이 섭씨 100도에서 끓는다는 것이 언제나 사실은 아니다.
　3 To make fires in the mountain, 산에서 불을 피우는 것은 허용되지 않는다.
　4 Making plans for the weekend, 주말 계획을 세우는 것은 기분 좋게 느껴진다.

A 1 Anyone이 주어이다.
　2 A man with a white hat이 주어이다. 전치사구인 with a white hat이 A man을 꾸민다.
　3 The flowers in the garden이 주어이다. 전치사구인 in the garden이 The flowers를 꾸민다.
　4 He and his friend가 주어이다.

B 1 동명사구 Wearing a seat belt 전체가 주어이다.
　2 명사절 That water boils at 100℃가 주어이다. that은 명사절을 이끄는 접속사로 쓰였다.
　3 to부정사구 To make fires in the mountain 전체가 주어이다. in the mountain이 make fires를 꾸미는 부사구로 쓰였다.
　4 동명사구 Making plans for the weekend 전체가 주어이다.

2 ^{Day} 목적어: 명사, 대명사

개념 원리 확인 ①
p. 19

1 (1) me, some nice ideas, 내게, 멋진 방안 몇 개를
(2) 100 bottles of water, 물 100병을
(3) some pictures of the sunrise, 일출 사진 몇 장을
2 (1) ① (2) ② (3) ① (4) ②

1 (1) 목적어가 두 개인 4형식 문장이다. me는 간접목적어, some nice ideas는 직접목적어로 쓰였다.

2 해석 (1) 나는 어젯밤에 TV에서 그 가수를/그 차의 광고를 봤다.
(2) 그는 도마 위에서 빵을/사과 파이를 잘랐다.
(3) 너는 다락에서 오래된 책을/증거를 찾았니?
(4) 언니는 내 생일에 내게 케이크를/아름다운 꽃을 보냈다.
해설 (1) of you는 전치사구로 목적어가 될 수 없다.
(2) too sweet는 형용사구로 목적어 자리에 올 수 없다.
(3) collect는 동사로 목적어 자리에 올 수 없다.
(4) 4형식 문장으로 me가 간접목적어이고, 빈칸에는 직접목적어가 와야 한다. 형용사 interesting은 목적어로 쓸 수 없다.

2 ^{Day} 목적어: 동명사, to부정사, 명사절

개념 원리 확인 ②
p. 21

1 (1) 우리는 당신을 곧 다시 만나기를 기대합니다.
(2) 너는 그 소설 읽는 것을 끝냈니?
(3) 그들은 그 소녀가 유일한 목격자라고 믿었다.
2 (1) to travel all around the world with her dog, 전 세계를 여행하기를
(2) why his brother liked the movie, 그 영화를 좋아하는지를
(3) moving my car to the basement floor, 내 차를 옮기는 것을

1 (1) to부정사구가 목적어로 쓰였다.
(2) 동명사구가 목적어로 쓰였다.
(3) that이 이끄는 명사절이 목적어로 쓰였다.
★ 동명사와 to부정사를 모두 목적어로 쓸 수 있지만 의미가 달라지는 동사

forget + 동명사	(과거에) ~했던 것을 잊다
forget + to부정사	(미래에) ~할 것을 잊다
remember + 동명사	(과거에) ~했던 것을 기억하다
remember + to부정사	(미래에) ~할 것을 기억하다
try + 동명사	시험 삼아 ~해 보다
try + to부정사	~하려고 노력하다

2 ^{Day} 기초 유형 연습
pp. 22~23

A 1 You wrote a very interesting novel.
2 He brought the woman a cup of hot tea.
3 She was preparing something special for her students.
4 Harry was washing the dishes, he broke some of them

B 1 목적어 drinking soda / Marie는 작년에 탄산음료 마시는 것을 그만두었다.
2 목적어 that the man knew the truth / 경찰은 그가 진실을 알고 있다는 것을 느꼈다.
3 목적어 whether the children can reach their home safely / 나는 그 아이들이 무사히 집에 도착할 수 있을지 궁금하다.
4 목적어 to win the election once more / 그 대통령은 선거에서 다시 한번 이기기를 원했다.

A 1 주어, 동사, 목적어 순으로 배열한다.
2 간접목적어와 직접목적어가 있는 4형식 문장 구조로 배열한다.
3 과거진행형(be동사의 과거형+현재분사)이 쓰인 것에 주의한다. -thing으로 끝나는 명사는 형용사가 뒤에 온다.
4 접속사 while이 이끄는 부사절과 주절에 모두 「주어+동사+목적어」가 있도록 배열한다.

B 1 quit는 동명사를 목적어로 쓰는 동사이다.
2 that이 이끄는 명사절이 목적어로 쓰였다.
3 whether가 이끄는 명사절이 목적어로 쓰였다.
4 want는 to부정사를 목적어로 쓰는 동사이다.

3 ^{Day} 가주어 it

개념 원리 확인 ①
p. 25

1 (1) that he is a very good actor, 그가 아주 훌륭한 배우라는 것은 사실이다.
(2) to stay home that cold day, 그 추운 날 집에 머문 것이 내게는 좋았다.
(3) to solve the problem, 그 문제를 푸는 데 시간이 오래 걸리지 않는다.
2 (1) to (2) who (3) to

1 (1) 가주어 it이 주어 자리에 오고 진주어인 that절이 문장의 뒤로 이동했다.

(2), (3) 가주어 it이 주어 자리에 오고 진주어인 to부정사구가 문장의 뒤로 이동했다.

2 (1) 가주어–진주어 구조의 문장으로, 뒤에 동사원형이 있으므로 to를 써서 to부정사구가 되는 것이 알맞다.

(2) 가주어–진주어 구조의 문장으로, 진주어는 의문사 who가 이끄는 명사절이 되는 것이 알맞다.

(3) 가주어–진주어 구조의 문장으로, 뒤에 동사원형이 있으므로 to를 써서 to부정사구가 되는 것이 알맞다.

3 that Kyle got the prize, 그녀는 Kyle이 그 상을 받은 것이 잘못되었다고 여긴다.

4 that there was nothing I could do, 나는 내가 할 수 있는 일이 없다는 것이 힘들다는 걸 알았다.

A **1~2** 가주어 it과 진주어 that절이 있는 문장으로 배열한다.

3~4 가주어 it과 진주어 to부정사구가 있는 문장으로 배열한다.

B **1~4** it이 뒤의 to부정사구나 that절 대신 목적어 자리에 와서 가목적어로 쓰였다.

3^{Day} 가목적어 it

개념 원리 확인 ②   p. 27

1 (1) to respect each other, 그들은 서로를 존중하는 것을 중요하게 여긴다.

(2) to follow the rules there, 학생들은 그곳에서 규칙을 따르는 것이 소용없다는 걸 알았다.

(3) to make a perfect weather forecast, 나는 완벽한 날씨 예보를 하는 것이 불가능하다고 생각한다.

2 (1) ①   (2) ②   (3) ②

1 (1) it이 가목적어, important가 목적격 보어이다.

(2) it이 가목적어, useless가 목적격 보어이다.

(3) it이 가목적어, impossible이 목적격 보어이다.

2 (1) ~ (3) 가목적어는 동사 뒤, 목적격 보어 앞에 오는 것이 적절하다. 목적격 보어는 각각 helpful, right, hard이다.

3^{Day} 기초 유형 연습

pp. 28~29

A **1** It is clear that the man lied to us.

2 It is a pity that Bill can't go to the next game.

3 It is a good habit to wash hands before eating.

4 It will take some time to develop a vaccine for the virus.

B **1** to make friends with her, 나는 그녀와 친구가 되는 것이 어렵다고 생각했다.

2 to grow plants in this desert, 우리는 이 사막에서 식물을 기르는 것이 가능하게 만들 것이다.

4^{Day} 주격 보어: 명사, 동명사, to부정사, 명사절

개념 원리 확인 ①   p. 31

1 (1) to search information about him

(2) what you are looking for

(3) a famous artist

(4) a member of our team

2 (1) taking   (2) whether   (3) that

2 (1) '내 일 = 손님의 주문을 받는 것', 즉 주어와 주격 보어 관계이므로 명사 역할을 할 수 있는 동명사가 알맞다.

(2) '그들의 관심사 = 새 박물관이 지어질지 아닐지', 즉 주어와 주격 보어 관계이다. '~인지 아닌지'라는 의미의 whether가 알맞다.

(3) 괄호 뒤의 내용이 주어를 설명하는 말, 즉 주격 보어이다. 주어와 동사가 있는 절이므로 명사절을 이끄는 접속사 that이 오는 것이 알맞다.

4^{Day} 주격 보어: 형용사, 분사

개념 원리 확인 ②   p. 33

1 (1) tired   (2) bad   (3) sweet   (4) pleased

2 (1) silent, 조용하게 있었다

(2) pale, 창백해졌다

(3) shocking, 충격적이었다

1 (1) tire는 동사이고, tired는 tire의 과거분사형이며 형용사로 쓰인다.

(2) 보어로는 부사가 쓰이지 않는다. 형용사 bad가 알맞다.

(3) 감각동사 smell 뒤에 주격 보어로 형용사를 써야 하므로 sweet가 알맞다.

(4) pleasing은 능동의 의미가 있는 현재분사로 다른 대상을 즐겁게 할 때 쓰고, pleased는 수동의 의미가 있는 과거분사로 다른 대상에 의해 즐거움을 느낄 때 쓴다.

2 (3) shocking은 능동의 의미가 있는 현재분사로 다른 대상에게 충격을 줄 때 쓰고, shocked는 수동의 의미가 있는 과거분사로 다른 대상에 의해 충격을 받을 때 쓴다.

4 Day 기초 유형 연습   pp. 34~35

A
1 My point is that we are wasting time.
2 The organization's goal is to raise more than 10,000 dollars.
3 Your problem can become ours.
4 His hobby is drawing the scenes from his favorite movies.

B
1 그 집 근처의 도로가 포장되지 않은 채로 있다.
2 그의 빠른 회복은 모두에게 놀라웠다.
3 그 표현은 약간 이상하게 들린다.
4 몇 달 후에 그 노트북 컴퓨터가 더 저렴해질까?

A
1 「주어＋동사＋주격 보어」의 2형식 문장으로 명사절인 that절이 주격 보어이다.
2 to부정사구가 주격 보어이다.
3 소유대명사 ours가 주격 보어이다.
4 동명사구가 주격 보어이다.

5 Day 목적격 보어: 명사, 형용사

개념 원리 확인 ①   p. 37

1
(1) safe, 안전하게
(2) Buddy, Buddy라고
(3) a winner, 우승자로
(4) empty, 비워[빈 채로]

2
(1) his suggestion interesting
(2) the turtle Mr. Darwin
(3) her daughter a lawyer

2 (1) ~ (3) 목적어와 목적격 보어가 둘 다 명사일 때 유의해야 한다. 동사의 대상이 되는 것이 목적어이고, 그것을 보충하는 말이 목적격 보어이다.

5 Day 목적격 보어: to부정사, 원형부정사, 분사

개념 원리 확인 ②   p. 39

1
(1) to feed   (2) call
(3) play   (4) to enter

2
(1) play[playing]
(2) to apologize
(3) dyed

1
(1) ask＋목적어＋to부정사: ~에게 …하라고 부탁하다
(2) hear(지각동사)＋목적어＋원형부정사: ~이 …하는 소리를 듣다
(3) let(사역동사)＋목적어＋원형부정사: ~이 …하도록 해 주다[내버려두다]
(4) allow＋목적어＋to부정사: ~이 …하도록 허락하다

2
(1) watch는 지각동사로 목적격 보어로는 원형부정사나 현재분사를 쓸 수 있다.
(2) tell＋목적어＋to부정사: ~에게 …하라고 말하다
(3) 과거분사가 목적격 보어 자리에 와서 수동, 완료의 의미를 나타낼 수 있다. have＋목적어＋과거분사: ~이 …되게 하다

5 Day 기초 유형 연습   pp. 40~41

A
1 We will call this tower "Tower of Peace."
2 How can I keep my dog calm in the car?
3 We should leave the windows open.
4 I found the house old but tidy.

B
1 He told me to put some salt in the boiling water.
2 The mother heard her son shouting outside
3 The dog let those hungry sparrows eat his food.
4 Ms. Eliot had the project completed as soon as possible.

B 1 to부정사구가 목적격 보어로 쓰였다.
2 hear(지각동사)+목적어+현재분사: ～이 …하고 있는 소리를 듣다
3 사역동사 let의 목적격 보어로는 원형부정사를 쓴다.
4 과거분사가 목적격 보어 자리에 와서 수동, 완료의 의미를 나타낼 수 있다. have+목적어+과거분사: ～이 …되게 하다

1주 누구나 100점 테스트
pp. 42~43

01 coming **02** sitting **03** to take **04** fascinating
05 standing **06** F, are → is **07** T **08** F, stressfully
→ stressful **09** T **10** F, to feel → feel
Quiz **02** crackers and candy **04** Alsace **05** his
father **07** a lot **09** 이 아름다운 도시를 방문하는 것
10 사람들이 미소 짓고 친절해 보이는 것

01 **해석** 그때, 그녀는 그들을 향해 다가오는 말 한 마리를 보았다.
해설 목적격 보어 자리이며 동사가 지각동사이므로, 원형부정사나 현재분사가 쓰이는 것이 알맞다.

02 **해석** 여러분의 선택을 개선하기 위해, 사과와 피스타치오 같은 좋은 식품을 크래커와 사탕 대신 나와 있게 하세요.
해설 목적격 보어 자리로 현재분사 sitting이 보어 역할을 한다.
Q 좋은 음식의 예로 사과와 피스타치오를 들며, 이것들을 크래커와 사탕 대신 나와 있게 하라고 했으므로 사과와 피스타치오와 대비되는 '좋지 않은 음식'으로 크래커와 사탕을 언급했음을 알 수 있다.

끊어 읽기
To improve / your choices, / leave good foods /
개선하기 위해   여러분의 선택을   좋은 식품을 ～하게 두어라
like apples and pistachios / sitting out /
사과와 피스타치오 같은   나와 있게
instead of / crackers and candy.
～ 대신   크래커와 사탕

03 **해석** 당신이 Vuenna 애견 공원의 관리인이기 때문에 나는 당신에게 야간에 그 소음을 막는 조치를 취할 것을 요청합니다.
해설 「ask+목적어+to부정사」는 '～에게 …하라고 부탁하다'라는 의미이다.

끊어 읽기
Since / you are / the manager / of Vuenna
～ 때문에 당신이 ～이다   관리자   Vuenna 애견 공원의
Dog Park, I ask / you / to take measures /
                나는 요청한다 / 당신에게 / 조치를 취할 것을
to prevent the noise / at night.
그 소음을 막을   야간에

04 **해석** 풍경은 버스가 Alsace로 향하면서 매혹적으로 보였다.
해설 fascinating은 주로 다른 대상을 매혹시킬 때, fascinated는 다른 대상에게 매혹당할 때 쓴다. 풍경이 글쓴이를 매혹시킨 것이므로 현재분사 fascinating이 어울린다.
Q head to: ～으로 향하다

05 **해석** 그가 연습을 끝냈을 때, Joe는 그의 아버지가 구석에 서 있는 것을 알아챘다.
해설 notice는 지각동사로 원형부정사 또는 현재분사를 목적격 보어로 쓴다.
Q 주절은 Joe ~ in the corner이다. 동사 noticed의 목적어를 찾는다.

06 **해석** 뉴스 사이트에서 뉴스 영상을 소비하는 것이 소셜 네트워크를 통하는 것보다 4개국에서 더 대중적이다.
해설 주어가 동명사구 Consuming ~ sites로 단수 취급해야 한다.

끊어 읽기
Consuming news videos / on news sites / is /
뉴스 영상을 소비하는 것이   뉴스 사이트에서   ～이다
more popular / than via social networks /
더 대중적인   소셜 네트워크를 통하는 것보다
in four countries.
4개국에서

07 **해석** 오늘날 만들어지는 공산품 중 다수가 많은 화학물질과 인공 첨가물을 함유하고 있다.
해설 Many of the manufactured products made today가 주어로 「many of+복수 명사」이므로 복수 취급한다. 따라서 동사도 복수형으로 쓴다.
Q 목적어는 a lot of ~ ingredients이다.

끊어 읽기
Many / of the manufactured products / made /
다수가   공산품 중에서   만들어지는
today / contain / a lot of chemicals / and /
오늘날에 함유한다   많은 화학물질을   그리고
artificial ingredients.
인공 첨가물을

08 **해석** 때로는, 이러한 부정적인 견해들이 너무 강력하고 스트레스를 주는 것으로 보일 수 있다.
해설 감각동사 seem 뒤에 주격 보어로 형용사가 온다. stressfully는 부사이므로 이를 형용사 stressful로 고쳐야 한다.

09 해석 이 아름다운 도시를 방문하는 것은 내 인생의 꿈이었다.

해설 it이 가주어이고 to부정사구가 진주어이다.

Q my lifelong dream은 주격 보어로, 진주어인 to visit this beautiful city를 설명한다. 따라서 '이 아름다운 도시를 방문하는 것 = 내 인생의 꿈' 관계가 성립한다.

10 해석 사람들은 미소 짓고 있었고 친절해 보였다. 그것이 그를 조금 더 나은 기분을 느끼도록 만들었다.

해설 사역동사 make가 쓰일 때 목적격 보어로는 원형부정사가 온다. 따라서 to feel을 feel로 고쳐야 한다.

Q 두 번째 문장의 That은 앞 문장 내용 전체를 가리킨다.

창의 · 융합 · 사고력

1일 Driving in the snow is dangerous.
2일 I don't want to eat spicy food.
3일 Is it possible to fix the phone?
4일 This shirt doesn't look good on me.
5일 He advised me not to feed the seagulls.

1일 해석 눈이 올 때 운전하는 것은 위험하다.

해설 명사 역할을 할 수 있는 어구가 주어로 와야 하므로 동명사구 Driving in the snow가 알맞다.

2일 해석 나는 매운 음식을 먹고 싶지 않다.

해설 동사 want의 목적어로 올 수 있는 것은 to부정사이다. 따라서 to eat이 알맞다.

3일 해석 전화기를 고치는 것이 가능한가요?

해설 주어인 to부정사구가 문장의 뒤로 가고 앞에 가주어가 온 구조의 문장이다. 가주어로는 it을 쓴다.

4일 해석 이 셔츠는 내게 잘 어울리지 않는다.

해설 감각동사 look 뒤에는 주격 보어로 형용사를 쓴다. well은 부사이므로 형용사 good이 알맞다.

5일 해석 그는 내게 갈매기에게 먹이를 주지 말라고 충고했다.

해설 advise의 목적격 보어로는 to부정사를 쓴다.

A 1 ①, ③, ②, ⑤, ⑧
→ I had her leave the room.
2 ①, ④, ③, ②, ⑥, ⑤, ⑦
→ It is surprising that you are Mark's friend.

B 1 silent, doubtful, curious
2 angry, write his name, a good student

C 1 hard, 오늘 그 일을 끝내는 것은 어렵다.
2 to understand the message, 그 메시지를 이해하는 것은 불가능하다.

D 주현

E 1 Traveling all around the world is one of my dreams.
2 It is so disappointing that Judy cheated on the exam.
3 Watering the flowers has become my routine.
4 I don't know who put this box here.

F 1 It is not easy for me to read the book in an hour.
2 It is surprising that you don't know this famous song.
3 It will take about 40 minutes to bake the bread fully.

G 1 shocking, shocked
2 bored, boring
3 satisfying, satisfied

A 1 해설 「사역동사+목적어+목적격 보어(원형부정사)」 구조로 배열한다. 동사로 ask를 쓴다면 목적격 보어로는 to부정사가 와야 하므로 적절하지 않다.
2 해설 가주어와 진주어 구조의 문장으로 완성하되, 진주어는 주어와 동사가 있는 명사절(that절)이 된다.

B 1 해석 왜 그 사람들이 조용한/의심스러워 하는/궁금해 하는 채로 남아 있지?
해설 주격 보어 자리이므로 동사 miss는 쓸 수 없다.
2 해석 선생님은 그를 화나게/그의 이름을 쓰도록/좋은 학생으로 만들었다.
해설 make+목적어+형용사 목적격 보어: ~을 …하게 만들다 / make+목적어+원형부정사: ~이 …하게 하다 / make+목적어+명사 목적격 보어: ~을 …으로 만들다

C 1 해설 뒤의 진주어 to부정사구를 설명하는 주격 보어로 알맞은 것을 선택해야 한다.
2 해설 진주어가 될 수 있는 to부정사구 또는 that절 등을 선택해야 한다.

D 해석 Q 네가 가장 좋아하는 취미는 무엇이니?
준영 내 취미는 귀여운 동물 영상을 검색하고 보는 거야.
수민 나는 내 주변 사물의 사진 찍는 것을 좋아해.
주현 내 온라인 친구들과 이야기하는 것이 내가 가장 좋아하는 활동이야.

6 | 하루 수능 영어 영역

해설 주현의 말에서 동명사구(Talking with my online friends)가 주어이므로 동사 are를 단수형 is로 고쳐 써야 한다.

F 1 해석 그 책을 한 시간 안에 읽는 것은 내게 쉽지 않다.
  2 해석 네가 이 유명한 노래를 모른다는 것은 놀랍다.
  3 해석 그 빵을 완전히 익히는 데에는 약 40분이 걸릴 것이다.
  1~3 해설 주어인 that절이나 to부정사구를 문장 뒤로 보내고 주어 자리에 가주어 it을 쓴다. 문장 전체의 동사를 잘 찾아야 한다.

G 1 해석 그 이야기의 결말은 충격적이었다. 독자들은 충격을 받았다.
  2 해석 너 굉장히 지루해 보여. 그 영화가 그렇게 지루하니?
  3 해석 행사들은 만족스러웠어. 내 생각엔 손님들 모두 만족한 것 같아.
  1~3 해설 다른 대상을 어떤 상태로 만들면 능동의 의미인 현재분사를 쓰고, 다른 대상에 의해 어떤 상태가 되면 수동의 의미인 과거분사를 쓴다.

2주 동사의 형태

이번 주에는 무엇을 공부할까? ❷   pp. 52~53

1 (1) is (2) was (3) have (4) had
2 (1) 행위의 대상 / 행위자 (2) 행위의 대상 / 행위자
  (3) 추측

1 해석 (1) Sera는 지금 뉴욕에서 간호사로 일하고 있다.
  (2) Sera는 그때 캘리포니아에서 간호사로 일하고 있었다.
  (3) 나는 돈을 전부 써 버려서 돈이 없다.
  (4) 나는 지갑을 잃어버려서 돈이 없었다.
  해설 (1) 현재 일어나는 일이므로 현재진행형으로 쓴다.
  (2) 과거(then)에 일어나고 있던 일이므로 과거진행형으로 쓴다.
  (3) 현재까지 영향을 미치는 과거의 일이므로 현재완료가 알맞다.
  (4) 과거 시점(I had no money)보다 이전에 일어난 일이므로 과거완료가 알맞다.

2 해석 (1) 욕실은 매주 토요일에 나의 아버지에 의해 청소된다.
  (2) 한 해 최고의 가수는 시청자들에 의해 선택된다.
  (3) 그녀는 오늘 아침에 늦게 일어난 게 틀림없다.
  해설 (1)~(2) 동사가 수동태로 쓰였으므로 주어가 행위의 대상, by 뒤의 말이 행위자이다.
  (3) 「must have+과거분사」는 강한 추측을 나타낸다.

1 Day 현재진행, 과거진행

개념 원리 확인 ①   p. 55

1 (1) is taking, 샤워를 하는 중이다
  (2) was brushing, 양치질을 하고 있었다
  (3) is meeting, 만날 것이다
  (4) were watching, TV를 보고 계셨다
2 (1) were, 무엇을 하고 있었니
  (2) was, 그는 그의 차로 걸어가고 있었다
  (3) drinking, 커피를 마시고 있어
  (4) love, 무척 좋아한다

1 (1) 「be동사의 현재형+현재분사」 형태의 현재진행형으로, 현재 진행 중인 동작을 나타낸다.
  (2) 「be동사의 과거형+현재분사」 형태의 과거진행형으로, 과거의 특정 시점에서 진행 중인 동작을 나타낸다.
  (3) 「be동사의 현재형+현재분사」 형태의 현재진행형으로, 가까운 미래를 나타낸다.

(4) 「be동사의 과거형＋현재분사」 형태의 과거진행형으로, 과
   거의 특정 시점에서 진행 중인 동작을 나타낸다.

2 (1) 「의문사＋be동사의 과거형＋주어＋현재분사 ～?」 형태의
      과거진행형 의문문이다.
   (2) 부사절의 시제가 과거인 것으로 보아 「be동사의 과거형＋현
      재분사」 형태의 과거진행형이 알맞다.
   (3) 앞의 be동사로 보아 「be동사의 현재형＋현재분사」 형태의
      현재진행형이 알맞다.
   (4) 감정을 나타내는 동사는 보통 진행형으로 쓰지 않는다.

1 ^{Day} 현재완료, 과거완료

개념 원리 확인 ②
p. 57

1 (1) had   (2) seen
     (3) Have   (4) had
2 (1) have known
     (2) had played
     (3) have worked

1 (1) 지갑을 두고 온 것이 버스 정류장에 도착한 것보다 더 이전
      에 일어난 일이므로 「had＋과거분사」의 과거완료 시제로
      쓴다.
   (2) 그 영화를 본 오늘 밤보다 더 앞선 시점에 같은 영화를 두 번
      본 것이므로 「had＋과거분사」의 과거완료 시제가 알맞다.
   (3) 과거 시점인 어렸을 때부터 현재까지 바이올린을 계속 연주
      했는지 묻는 것이므로 현재완료 의문문(Have[Has]＋주어
      ＋과거분사 ～?)이 되어야 한다.
   (4) 명확한 과거 시점을 나타내는 부사 yesterday가 있으므로
      현재완료를 쓸 수 없다.

2 (1) 과거 시점인 고등학교 때부터 현재까지 서로를 알아온 것이
      므로 「have＋과거분사」의 현재완료 시제로 쓴다.
   (2) 과거 부상을 당한 시점보다 앞서 축구를 잘한 것이므로
      「had＋과거분사」의 과거완료 시제가 알맞다.
   (3) 과거 시점인 학교를 졸업할 때부터 현재까지 일하고 있는 것
      이므로 「have＋과거분사」의 현재완료 시제로 쓴다.

1 ^{Day} 기초 유형 연습
pp. 58～59

A **1** Where are you going?
   2 Are you visiting your cousin this weekend?

3 The tourists are not paying attention to the tour
   guide.
4 I was sleeping when you got home late last
   night. / When you got home late last night, I was
   sleeping.

B **1** I had been to five countries in Europe by 2020.
2 The plane had left by the time I got to the airport. /
   By the time I got to the airport, the plane had left.
3 How long have you studied English?
4 The phone has rung five times since lunchtime. /
   Since lunchtime, the phone has rung five times.

A **1** 「의문사＋be동사의 현재형＋주어＋현재분사 ～?」의 현재
   진행형 의문문을 완성한다.
2 「be동사의 현재형＋주어＋현재분사 ～?」의 현재진행형 의문
   문을 완성한다. 현재진행형은 가까운 미래를 나타낼 수 있다.
3 「be동사의 현재형＋not＋현재분사」의 현재진행형 부정문
   을 완성한다.
4 「be동사의 과거형＋현재분사」의 과거진행형 문장을 완성
   한다.

B **1** 과거 특정 시점인 2020년까지의 경험을 나타내는 「had＋
   과거분사」의 과거완료 시제이다.
2 공항에 도착한 것은 과거 시제로, 이보다 먼저 일어난 일인
   비행기가 떠난 것은 과거완료로 나타낸다.
3 「How long have you＋과거분사 ～?」는 '너는 얼마나 오
   랫동안 ～해 왔니?'라는 의미로, 현재완료 시제의 의문문
   이다.
4 과거 특정 시점인 점심시간부터 현재까지 일어난 일을 나타
   내는 「have[has]＋과거분사」의 현재완료 시제이다.

2 ^{Day} 조동사 can, may

개념 원리 확인 ①
p. 61

1 (1) 능력   (2) 가능   (3) 허가   (4) 추측
2 (1) may   (2) could   (3) may not   (4) can

1 (1) '～할 수 있다'라는 능력의 의미를 나타내는 조동사 can의
      과거형이다.
   (2) '～할 수 있다'라는 가능의 의미를 나타내는 조동사이다.
   (3) '～해도 된다'라는 허가의 의미를 나타내는 조동사이다.
   (4) '～일지도 모른다'라는 추측의 의미를 나타내는 조동사이다.

2 (1) '~일지도 모른다'라는 추측의 의미를 나타내는 조동사 may
가 알맞다.
(2) 부사절의 시제로 보아 조동사의 과거형이 알맞다.
(3) '~해도 된다'라는 허가의 의미를 나타내는 조동사 may 다
음에 not을 써서 부정형을 만든다.
(4) '~할 수 있다'라는 가능의 의미를 나타내는 조동사 can이
어울린다.

2 Day 조동사 must, should

개념 원리 확인 ②
p. 63

1 (1) had better not   (2) have to
   (3) must   (4) must not
2 (1) must[should]   (2) cannot
   (3) must   (4) should

1 (1) '~하지 않는 것이 좋다'라는 충고를 나타내는 had better
not이 알맞다.
(2) 조동사 will 다음에 조동사 must가 올 수 없다. have to는
'~해야 한다'라는 의무를 나타내는 표현으로 조동사 뒤에 쓸
수 있다.
(3) must be는 '~임에 틀림없다'라는 의미의 강한 추측을 나타
낸다.
(4) don't have to는 '~할 필요가 없다'라는 뜻이므로 '~해서
는 안 된다'라는 금지를 나타내는 must not이 알맞다.

2 (1) 의무를 나타내는 조동사 must[should]를 쓴다.
(2) cannot은 '~일 리가 없다'라는 뜻으로 강한 부정의 추측을
나타낸다.
(3) must be는 '~임에 틀림없다'라는 의미의 강한 추측을 나타
낸다.
(4) '~하는 것이 좋다'라는 조언의 의미를 나타내는 should가
알맞다.

2 Day 기초 유형 연습
pp. 64~65

A **1** I can't remember what Jason looks like.
   2 May I exchange this shirt for a smaller size?
   3 You can leave the table when you finish your
dinner. / When you finish your dinner, you can
leave the table.
   4 The volcano on the island may erupt in the near
future.

B **1** You have to brush your teeth three times a day.
   2 You must not throw trash on the street.
   3 It must be true what people say about the
deserted house.
   4 You don't have to answer every question.

A **1** '~할 수 없다'라는 의미의 can't 다음에 동사원형인 remember
를 쓴다.
   2 조동사 may는 허가를 나타낸다. 「조동사+주어+동사원형
~?」의 의문문을 완성한다.
   3 '~해도 좋다'라는 허가의 의미를 나타내는 조동사 can 다음
에 동사원형인 leave를 쓴다.
   4 '~할지도 모른다'라는 추측의 의미를 나타내는 may 뒤에 동
사원형 erupt를 쓴다.

B **1** 「have to+동사원형」은 '~해야 한다'라는 뜻으로, 의무를
나타낸다. brushing을 동사원형인 brush로 고쳐야 한다.
   2 금지를 나타내는 조동사 must의 부정은 「must not+동사
원형」으로 쓴다.
   3 '~임에 틀림없다'라는 뜻의 강한 추측을 나타내는 조동사는
must이다.
   4 must not은 '~해서는 안 된다'라는 의미로 금지를 나타낸
다. '~할 필요 없다'는 don't have to로 쓴다.

3 Day 조동사+have+과거분사

개념 원리 확인 ①
p. 67

1 (1) 비가 내렸음에 틀림없다
(2) 갔을 리가 없다
(3) 깨어 있었을지도 모른다
(4) 가져왔어야 했다
2 (1) cannot have slept
(2) could have been
(3) should have locked
(4) must have practiced

1 (1) 「must have+과거분사」는 '~이었음에 틀림없다'라는 뜻
으로 과거의 일에 대한 강한 추측을 나타낸다.
(2) 「cannot have+과거분사」는 '~이었을 리가 없다'라는 의
미로 과거의 일에 대한 강한 의심을 나타낸다.
(3) 「may[might] have+과거분사」는 '~이었을지도 모른다'
라는 의미로 과거의 일에 대한 약한 추측을 나타낸다.

(4) 「should have+과거분사」는 '~했어야 했다'라는 의미로 과거의 일에 대한 후회를 나타낸다.

2 (1) 「cannot have+과거분사」는 '~이었을 리가 없다'라는 뜻으로 과거의 일에 대한 강한 의심을 나타낸다.
(2) 「could have+과거분사」는 '~할 수도 있었다'라는 의미로 과거의 일에 대한 가능성을 나타낸다.
(3) 「should have+과거분사」는 '~했어야 했다'라는 뜻으로 과거의 일에 대한 유감을 나타낸다.
(4) 「must have+과거분사」는 '~이었음에 틀림없다'라는 뜻으로 과거의 일에 대한 강한 추측을 나타낸다.

3^{Day} used to, would

개념 원리 확인 ②

1 (1) 습관 (2) 습관 (3) 상태 (4) 습관
2 (1) used to (2) used to
(3) would[used to] (4) used to

1 (1)~(4) used to는 과거의 습관이나 상태를, would는 과거의 습관을 나타낸다. 과거의 상태를 나타낼 때에는 would를 쓰지 않는다.

2 (1)~(4) 과거의 습관은 used to와 would 둘 다 나타낼 수 있으며 과거의 상태는 used to만 나타낼 수 있다. 이어지는 내용이 과거의 습관인지 상태인지 파악한다.

3^{Day} 기초 유형 연습

A 1 He may have taken your bag by mistake.
2 I should not have said that.
3 There must have been water on Mars
4 Tim could have won the race

B 1 He used to love traveling alone, but now he doesn't.
2 Jack and Amy used to feel lonely until they met each other.
3 While at school she used to be the smartest student in the class.
4 I would[used to] play soccer every weekend, but I don't have time now.

A 1 「may[might] have+과거분사」는 '~이었을지도 모른다'라는 의미로 과거의 일에 대한 약한 추측을 나타낸다.
2 「should have+과거분사」는 '~했어야 했다'라는 뜻으로 과거의 일에 대한 후회를 나타낸다. 부정문이 되어야 하므로 should 뒤에 not을 쓴다.
3 「must have+과거분사」는 '~이었음에 틀림없다'라는 뜻으로 과거의 일에 대한 강한 추측을 나타낸다.
4 「could have+과거분사」는 '~할 수도 있었다'라는 의미를 나타낸다.

B 1 혼자 여행하는 것을 좋아했던 것은 과거의 상태이다. 따라서 과거의 상태를 나타내는 used to love로 고쳐 써야 한다.
2 외로움을 느꼈던 것은 과거의 상태이므로 used to feel로 고쳐 써야 한다. 「be used to+동명사」는 '~하는 데 익숙하다'라는 의미이다.
3 반에서 가장 똑똑한 학생이었던 것은 과거의 상태이다. 따라서 used to be로 고쳐 써야 한다.
4 주말마다 축구를 했던 것은 과거의 습관이다. 과거의 습관을 나타내는 used to 또는 would로 고쳐 써야 한다. would rather는 '차라리 ~하겠다'라는 뜻이다.

4^{Day} 수동태의 의미와 형태

개념 원리 확인 ①

1 (1) is painted
(2) wasn't directed
(3) Is dinner cooked
(4) should be recycled
2 (1) is baked by
(2) is visited by
(3) are not written by
(4) can be added

1 (1), (2) 주어가 행위의 대상이므로 「be동사+과거분사」의 수동태가 알맞다.
(3) 의문사가 없는 수동태의 의문문은 「be동사+주어+과거분사 ~?」로 쓴다.
(4) 주어가 행위의 대상이므로 수동태로 쓰되, 조동사를 포함한 수동태는 「조동사+be+과거분사」로 쓴다.

2 (1), (2) 「be동사+과거분사」 형태의 수동태가 되어야 한다.
(3) 수동태의 부정은 「be동사+not+과거분사」로 쓴다.
(4) 조동사를 포함한 수동태는 「조동사+be+과거분사」로 쓴다.

10 | 하루 수능 영어 영역

4 ^{Day} 수동태의 시제

1 (1) 나의 할아버지에 의해 만들어졌다
(2) 새 다리가 지어지는 중이다
(3) 수리될 것이다
(4) 사람들에 의해 불려 왔다

2 (1) was designed
(2) was given
(3) has just been made
(4) will be discussed

1 (1) 「be동사의 과거형＋과거분사」는 수동태의 과거 시제이다.
(2) 「be동사의 현재형＋being＋과거분사」는 수동태의 현재진행 시제이다.
(3) 「will be＋과거분사」는 수동태의 미래 시제이다.
(4) 「have[has] been＋과거분사」는 수동태의 현재완료 시제이다.

2 (1)～(4) 주어가 행위의 대상이므로 동사는 수동태 형태여야 한다.
(1) 「be동사의 과거형＋과거분사」는 수동태의 과거 시제이다.
(2) 「be동사의 과거형＋과거분사」는 수동태의 과거 시제이다.
(3) 방금 완료된 일이므로 「has been＋과거분사」의 수동태 현재완료 시제가 알맞다.
(4) 미래의 일이므로 「will be＋과거분사」의 수동태 미래 시제가 알맞다.

4 ^{Day} 기초 유형 연습   pp. 76~77

A 1 This company employs three hundred people.
2 Those fish in the pond are fed by my father every morning.
3 The restaurant was not renovated in 2019.
4 Was the *Mona Lisa* painted by Leonardo Da Vinci?

B 1 A few songs are being sung by children.
2 The meeting will be finished by 5 p.m.
3 Her novels have been translated into five languages.
4 the cure had been found by them

A 1 **해석** 삼백 명의 사람들이 이 회사에 의해 고용된다. → 이 회사는 삼백 명의 사람들을 고용한다.
해설 수동태 문장의 주어를 능동태의 목적어로, 「be동사＋과거분사」를 능동태로, by 뒤의 행위자를 능동태 문장의 주어로 쓴다.
2 **해석** 나의 아버지는 매일 아침에 연못의 저 물고기들에게 먹이를 주신다. → 연못의 저 물고기들은 매일 아침에 나의 아버지에 의해 먹이가 주어진다.
해설 능동태 문장의 목적어를 수동태 문장의 주어로, 능동태 문장의 동사를 「be동사＋과거분사」로, 능동태 문장의 주어를 by 다음에 쓴다.
3 **해석** 그 식당은 2019년에 개조되었다. → 그 식당은 2019년에 개조되지 않았다.
해설 수동태의 부정은 「be동사＋not＋과거분사」로 쓴다.
4 **해석** 〈모나리자〉는 레오나르도 다빈치에 의해 그려졌다. → 〈모나리자〉는 레오나르도 다빈치에 의해 그려졌니?
해설 의문사가 없는 수동태의 의문문은 「be동사＋주어＋과거분사 ～?」로 쓴다.

B 1 「be동사의 현재형＋being＋과거분사」는 수동태의 현재진행 시제이다.
2 「will be＋과거분사」는 수동태의 미래 시제이다. by 5 p.m.은 '5시까지'라는 뜻이다.
3 「have[has] been＋과거분사」는 수동태의 현재완료 시제이다. translate into는 '～으로 번역하다'라는 뜻이다.
4 「had been＋과거분사」는 수동태의 과거완료 시제이다. 주절의 시점보다 더 앞선 시점의 일이므로 과거완료가 쓰였다.

5 ^{Day} by 이외의 전치사를 쓰는 수동태／동사구 수동태

1 (1) with   (2) with
(3) at   (4) in

2 (1) was turned off
(2) was put out
(3) was laughed at
(4) is looked up to

1 (1) be covered with: ～로 뒤덮이다
(2) be satisfied with: ～에 만족하다
(3) be surprised at: ～에 놀라다
(4) be interested in: ～에 흥미가 있다

2 「동사+전치사/부사」의 동사구는 하나의 동사처럼 취급되어 수동태에서 전치사나 부사를 생략하지 않는다.

(1) turn off는 '(전등을) 끄다'라는 뜻의 구동사이다.

(2) put out은 '(불을) 끄다'라는 뜻의 구동사이다.

(3) laugh at은 '~을 비웃다'라는 뜻의 구동사이다.

(4) look up to는 '~을 존경하다'라는 뜻의 구동사이다.

5 Day 4, 5형식의 수동태

개념 원리 확인 ②   p. 81

1 (1) taught   (2) given to
(3) asked to   (4) shown

2 (1) was offered a cup of tea
(2) The shocking news was told
(3) Students are encouraged to express
(4) She was elected class president

1 (1) 능동태 문장 Ms. Gómez taught him Spanish.에서 간접목적어 him을 주어로 하여 바꾼 수동태 문장이다.

(2) Her parents gave her some advice.에서 직접목적어 some advice를 주어로 하여 바꾼 수동태 문장이다.

(3) Her brother asked her to lower her voice.를 수동태로 바꾼 문장이다. 5형식 동사의 수동태 문장에서 수동태 뒤에 목적격 보어가 남는 것에 유의한다.

(4) The referee showed him a yellow card.에서 간접목적어 him을 주어로 하여 바꾼 수동태 문장이다.

2 (1) 간접목적어 me를 주어로 하고 수동태 뒤에 직접목적어를 쓴다.

(2) 직접목적어 the shocking news를 주어로 하고 간접목적어 앞에 전치사 to를 쓴다.

(3) 목적어와 목적격 보어를 가진 5형식 동사 encourage의 수동태 문장을 완성한다. 수동태 뒤에 목적격 보어 to express ~가 남아야 한다.

(4) elect는 목적격 보어 자리에 명사가 오는 5형식 동사이다. 목적어 her를 주어로 하는 수동태 문장에서 수동태 뒤에 목적격 보어 class president가 남아야 한다.

5 Day 기초 유형 연습   pp. 82~83

A 1 He was disappointed at the test results.
2 Our relationship is filled with joy and trust.
3 The problem will be dealt with fairly.
4 The baby is taken care of by her grandmother.

B 1 The police was given the information by us.
2 A kitten was shown to me by Ann.
3 I was told to talk as much as possible by the man.
4 She was seen to dance on the ice (by them).

A 1 「be동사의 과거형+과거분사」는 수동태의 과거 시제이다. be disappointed at은 '~에 실망하다'라는 의미이다.

2 「be동사의 현재형+과거분사」는 수동태의 현재 시제이다. be filled with는 '~으로 가득 차다'라는 의미이다.

3 「will be+과거분사」는 수동태의 미래 시제이다. deal with는 '~을 처리하다'라는 의미로, 수동태 형태는 be dealt with이다.

4 「be동사의 현재형+과거분사」는 수동태의 현재 시제이다. take care of는 '~을 돌보다'라는 의미로, 수동태 형태는 be taken care of이다.

B 1 간접목적어 the police를 주어로 하여 「be동사의 과거형+과거분사」의 수동태 문장을 완성한다. 수동태 뒤에 직접목적어인 the information이 남는다.

2 직접목적어 a kitten을 주어로 하여 「be동사의 과거형+과거분사」의 수동태 문장을 완성한다. 수동태 뒤에 전치사와 간접목적어였던 me를 쓴다.

3 목적어인 me를 주어로 하여 「be동사의 과거형+과거분사」의 수동태 문장을 완성한다. 5형식 동사가 수동태가 되면 목적격 보어가 수동태 뒤에 남는다.

4 목적어 her를 주어로 하여 「be동사의 과거형+과거분사」의 수동태 문장을 완성한다. 5형식 동사 중 지각동사가 수동태가 되면 목적격 보어였던 동사원형이 to부정사가 된다.

2주 누구나 100점 테스트   pp. 84~85

01 sitting   **02** were spent   **03** filled   **04** can be set
05 could have written   **06** F, taking → take   **07** T
08 T   **09** F, given → given to   **10** T

Quiz 03 고등학교 졸업식   05 학창 시절의 역사
08 네 방을 청소하는 것

01 **해석** Andrew가 요양원에 도착했을 때, 할아버지는 침대에서 일어나 앉아 있었다.

해설 과거의 특정한 시점에서 진행 중인 동작을 나타낼 때 과거진행형을 쓰고, 주어가 3인칭 단수이므로 「was+현재분사」로 나타낸다.

02 **해석** 많은 액수의 돈이 사치스러운 옷과 보석에 쓰였다.

해설 돈은 사람들에 의해 '쓰였던' 것이므로 수동태인 「be동사+과거분사」로 나타낸다.

03 **해석** 고등학교 운동장은 활기찬 사진사들에게 포즈를 취해 주고 있는 잘 차려 입은 사람들로 가득 차 있었다.

해설 be filled with는 '~으로 가득 차다'라는 의미의 수동태 표현이다. 운동장이 사람들로 '채워져 있는' 것이므로 수동태 표현이 알맞다.

Q 학교 운동장에서 사람들이 잘 차려 입고 기념사진을 찍고 있는 것으로 보아 아마도 졸업식일 것이다.

04 **해석** 시간은 리모컨으로만 설정될 수 있다.

해설 「조동사+be+과거분사」의 수동태이다. set은 원형과 과거분사의 형태가 같다.

05 **해석** 20살 때, 나는 내 학창 시절의 역사를 글로 쓸 수도 있었을 것이다.

해설 「could have+과거분사」는 '~할 수도 있었다'라는 의미로 과거의 일에 대한 가능성을 나타낸다. 내가 '쓰는' 것이므로 수동태는 적절하지 않다.

Q 목적어에 해당하는 말을 찾아야 한다.

06 **해석** 나는 과거에 너무 심각하게 받아들이곤 했던 일에 대해 웃어넘기고 있는 나 자신을 발견한다.

해설 「used to+동사원형」은 과거의 습관을 나타낸다.

07 **해석** 독서는 항상 그들 자신에게 그 이점을 거의 주지 않는 사람들(책을 거의 읽지 않는 사람들)에게 선망의 대상이 되어 왔다.

해설 과거부터 현재까지 선망의 대상이 되어온 것이므로 「has been+과거분사」의 현재완료 수동태로 나타내었다. those는 '~하는 사람들'이라는 의미로, 주격 관계대명사 who가 이끄는 절이 앞의 those를 꾸민다.

> **끊어 읽기**
> Reading / has always been envied / by those /
> 독서는　　　항상 선망되어 왔다　　　~하는 사람들에 의해
> who rarely give themselves / that advantage.
> 좀처럼 자신에게 주지 않는　　　　그 이점을

08 **해석** 너는 오늘 네 방 청소를 훌륭하게 잘해냈고, 나는 그것이 틀림없이 네게 큰 노력이었음을 안다.

해설 「must have+과거분사」는 '~이었음에 틀림없다'라는 뜻으로 과거의 일에 대한 강한 추측을 나타낸다.

Q that은 앞 문장의 cleaning up your room을 가리킨다.

09 **해석** 교황 율리우스 2세의 무덤을 만드는 프로젝트는 원래 1505년에 미켈란젤로에게 주어졌다.

해설 4형식 문장을 직접목적어(The project of creating the tomb of Pope Julius II)를 주어로 하여 바꿔 쓴 수동태 문장이다. 동사가 give일 때 간접목적어 앞에 전치사 to를 쓴다.

> **끊어 읽기**
> The project / of creating the tomb /
> 프로젝트는　　　무덤을 만드는 것의
> of Pope Julius II / was originally given /
> 율리우스 2세의　　　원래 주어졌다
> to Michelangelo / in 1505.
> 미켈란젤로에게　　　1505년에

10 **해석** 한 인형은 상아로 만들어졌고 18세의 나이에 죽은 그 주인 옆에 놓여 있었다.

해설 be made of는 '~으로 만들어지다'라는 의미이고, 인형이 놓여 있었던 것보다 주인이 죽은 것이 먼저 일어난 일이므로 과거완료 「had+과거분사」로 나타낸다.

> **끊어 읽기**
> One doll / was made of ivory / and lay /
> 한 인형은　　　상아로 만들어졌다　　　그리고 놓여 있었다
> beside its owner / who had died / at the age of
> 그것의 주인 옆에　　　죽은　　　18살의 나이에
> eighteen.

창의 · 융합 · 사고력　　　　pp. 86~91

1일 has been, had been
2일 can, should
3일 work, must have gone
4일 was painted
5일 with

1일 **해석** 소년은 3일째 병원에 있다. / 소년은 3일 동안 병원에 있었다고 말했다.

해설 과거에 시작된 일이 현재까지 계속되고 있을 때 「have+과거분사」의 현재완료로 나타낸다. 주절에 과거 시제가 쓰였을 때, 종속절의 내용이 그보다 앞서 일어난 일이면 「had+과거분사」의 과거완료로 나타낸다.

2일 **해석** 그녀는 드럼을 아주 잘 연주할 수 있다. / 저녁 늦은 시간이다. 그녀는 조용히 해야 한다.

해설 '~할 수 있다'라는 뜻의 능력, 가능을 나타내는 조동사는 can이다. should는 '~해야 한다'라는 의미의 의무를 나타내는 조동사이다.

정답과 해설 | **13**

3일 해석 Kate는 늦게까지 일하곤 했지만, 지금은 그렇지 않다. / Kate는 집에 간 것이 틀림없다.

해설 「used to+동사원형」은 '~하곤 했다'라는 의미로 과거의 습관을 나타낸다. 「must have+과거분사」는 '~임에 틀림없다'라는 의미로 과거의 일에 대한 강한 추측을 나타낸다.

4일 해석 이 그림은 Jenny에 의해 그려졌다.

해설 「be동사+과거분사」는 주어가 행위의 대상임을 나타내는 수동태이다.

5일 해석 산 정상은 눈으로 덮여 있다.

해설 「be동사+과거분사」는 주어가 행위의 대상임을 나타내는 수동태이다. be covered with는 '~로 뒤덮이다'라는 의미이다.

A	**1** was reading	**2** is taking	**3** is playing		
B	**1** 2, 1	**2** 2, 1	**3** 1, 2		
C	**1** have lived				
	2 has gone				
D	**1** Can[May]	**2** can	**3** should		
E	**1** cannot	**2** shouldn't			
	3 could	**4** must			
F	**1** Emily	**2** Lily			

G **1** Traffic rules should be obeyed (by people).

2 An old diary was discovered in Dora's room by me.

3 Students are using all the computers in the library.

H **1** Dan was advised to sleep at least seven hours a day.

2 Eric was expected to score in the final.

3 I was made to wait for half an hour by him.

A **1 해석** Betty는 지난 저녁 그녀가 좋아하는 소설을 읽고 있었다.

해설 과거 시점인 지난 저녁에 진행 중이었던 동작을 나타내는 과거진행 시제가 되어야 한다. 과거진행형은 「be동사의 과거형+현재분사」로 쓴다.

2 해석 Brown 씨는 지금 휴식을 취하고 있다.

해설 현재 진행 중인 동작을 나타내는 현재진행 시제를 완성한다. 현재진행형은 「be동사의 현재형+현재분사」로 쓴다.

3 해석 호진이는 이번 주말에 농구를 할 것이다.

해설 현재진행형은 미래를 나타내는 부사구와 함께 쓰여 가까운 미래를 나타낼 수 있다.

B **1 해석** 내가 그 오래된 집을 처음 봤을 때 나는 막 그 마을에 이사를 왔었다.

해설 집을 본 것보다 이사를 온 것이 더 앞선 시점의 일이므로 「had+과거분사」의 과거완료로 쓰였다.

2 해석 그는 누군가가 그의 방을 청소한 것을 발견했다.

해설 누군가가 그의 방을 청소한 것이 그가 그 사실을 발견한 것보다 앞선 시점에 일어난 일이므로 「had+과거분사」의 과거완료로 쓰였다.

3 해석 그녀는 공부를 열심히 하지 않았기 때문에 시험에 떨어졌다.

해설 그녀가 공부를 열심히 하지 않은 것이 시험에 떨어진 것보다 앞선 시점에 일어난 일이므로 「had+과거분사」의 과거완료로 쓰였다.

C **1 해석** 나는 2015년에 서울로 이사 왔다. 나는 여전히 서울에 살고 있다. → 나는 2015년 이후로 서울에 살고 있다.

해설 과거의 특정 시점부터 현재까지 계속되고 있는 일을 나타낼 때 「have+과거분사」의 현재완료를 사용한다.

2 해석 나루는 중국에 갔다. 그녀는 지금 여기 없다. → 나루는 중국에 가버리고 없다.

해설 과거의 특정 시점에 일어난 일이 현재까지 영향을 미치고 있음을 나타낼 때 현재완료를 사용해야 하고, 주어가 3인칭 단수이므로 「has+과거분사」로 쓴다.

D **1 해석** 제가 비스킷을 먹도록 허락되나요? / 제가 비스킷을 먹어도 될까요?

해설 조동사 can과 may는 허가의 의미를 나타낸다.

2 해석 그가 숨을 30초 동안 참는 것은 가능하다. / 그는 숨을 30초 동안 참을 수 있다.

해설 조동사 can은 능력, 가능을 나타낸다.

3 해석 너는 과일과 채소를 더 많이 먹는 것이 좋겠다.

해설 조동사 should는 '~하는 것이 좋겠다'라는 의미로 충고를 나타내며 had better와 바꿔 쓸 수 있다.

E **1 해석** 그녀의 차가 여전히 밖에 있기 때문에 그녀는 아직 집을 떠났을 리 없다.

해설 「cannot have+과거분사」는 '~했을 리 없다'라는 의미이다.

2 해석 너는 그곳에 가지 말았어야 했다. 그것은 실수였다.

해설 「shouldn't have+과거분사」는 '~하지 말았어야 했는데'라는 뜻으로 과거의 일에 대한 후회를 나타낸다.

3 해석 나는 곧바로 대학에 갈 수 있었지만 1년 동안 여행을 하기로 결정했다.

해설 「could have+과거분사」는 '~할 수도 있었다'라는 의미이다.

4 해석 Emma는 햇볕에 탔다. 그녀는 최근 햇볕 아래에서 많은 시간을 보낸 것이 틀림없다.

해설 「must have+과거분사」는 '~이었음에 틀림없다'라는 뜻으로 과거의 일에 대한 강한 추측을 나타낸다.

F 1 **해석** 내가 어렸을 때 이곳에는 서점이 있었다.
해설 used to는 과거의 지속적인 상태를 나타낸다. would 는 과거의 상태를 나타낼 수 없다.

2 **해석** 우리 할머니께서는 학교까지 수 마일을 걸으시곤 했다.
해설 「would+동사원형」은 과거의 습관을 나타낸다. get used to는 '~에 익숙해지다'라는 의미로 뒤에 동명사를 써야 한다.

G 1 **해석** 사람들은 교통 법규를 준수해야 한다. → 교통 법규는 (사람들에 의해) 준수되어야 한다.
해설 능동태 문장의 목적어 traffic rules를 주어로 쓰고, 「조동사+be+과거분사」 형태로 수동태 문장을 완성한다. 수동태 문장에서 행위자가 중요하지 않은 경우 보통 생략한다.

2 **해석** 나는 Dora의 방에서 오래된 일기장을 발견했다. → 오래된 일기장이 Dora의 방에서 나에 의해 발견되었다.
해설 「be동사+과거분사」 형태로 수동태 문장을 완성한다. 행위자는 「by+목적격」 형태로 수동태 뒤에 쓴다.

3 **해석** 도서관의 모든 컴퓨터는 학생들에 의해서 사용되고 있는 중이다. → 학생들은 도서관의 모든 컴퓨터를 사용하고 있다.
해설 수동태 문장의 행위자인 students를 능동태 문장의 주어로 쓴다. 주어진 수동태 문장의 시제가 현재진행이므로 능동태 문장은 「be동사+현재분사」로 쓴다.

H 1 **해석** Dan은 하루에 적어도 7시간씩 자라고 충고를 받았다.
해설 5형식 동사 advise의 수동태 문장으로, 「be동사의 과거형+과거분사」의 수동태 뒤에 목적격 보어를 남긴다.

2 **해석** Eric은 결승전에서 골을 넣으리라고 기대되었다.
해설 5형식 동사 expect의 수동태 문장으로, 「be동사의 과거형+과거분사」의 수동태 뒤에 목적격 보어를 남긴다.

3 **해석** 나는 그에 의해 30분 동안 기다리게 되었다.
해설 사역동사 make의 수동태 문장을 완성한다. 능동태에서 목적격 보어로 쓰인 동사원형 wait를 to부정사로 바꿔 쓴다.

3주 접속사와 수식어

이번 주에는 무엇을 공부할까? ❷

1 (1) 부사
(2) 형용사
(3) 목적어

2 (2) ~ 때문에 / 우리는 / 늦었다 / 우리는 / ~하는 게 낫다 / 타다 / 택시를
(3) 나는 / 도착했다 / 극장에 / 더 일찍 / ~보다 / 너

1 **해석** (1) 그녀는 개를 산책시키기 위해 공원에 갔다.
(2) 너는 그 입장권을 살 돈이 있니?
(3) 그는 Anna가 그의 이름을 안다고 생각했다.
해설 (1) 목적을 나타내는 부사적 용법의 to부정사구이다.
(2) some money를 꾸미는 형용사적 용법의 to부정사구이다.
(3) that절이 동사 thought의 목적어가 된다.

1 Day to부정사의 형용사적/부사적 용법

개념 원리 확인 ①

p. 97

1 (1) 내 여동생은 미술을 공부하기 위해 파리에 갔다.
(2) 모든 사람은 행복을 느끼는 무언가를 가지고 있다.
(3) 나는 내 차로 돌아와 차 안에 열쇠를 넣고 잠갔다는 것을 알게 됐다.
2 (1) 부사적 용법, 생각하기 위해
(2) 부사적 용법, 듣게 되어
(3) 형용사적 용법, 기울이는

1 (1) to study painting이 목적을 나타내는 부사적 용법으로 쓰였다.
(2) to be happy about이 something을 꾸미는 형용사적 용법으로 쓰였다.
(3) only to find ~가 결과를 나타내는 부사적 용법으로 쓰였다.

2 (1) 목적을 나타내는 부사적 용법이다.
(2) 감정의 원인을 나타내는 부사적 용법이다.
(3) the ability를 꾸미는 형용사적 용법이다.

1 Day 분사 형용사

1 (1) broken　(2) crying
　　(3) dried　　(4) surprising
2 (1) written, 쓰인
　　(2) living, 사는
　　(3) disappointing, 실망스러운

1 (1) 보일러가 고장이 난 것이므로 수동, 완료의 의미가 있는 과거분사 broken이 알맞다.
　　(2) 아기가 우는 것이므로 능동, 진행의 의미가 있는 현재분사 crying이 알맞다.
　　(3) 벽돌이 건조되는 것이므로 수동, 완료의 의미가 있는 과거분사 dried가 알맞다.
　　(4) 뉴스가 감정의 원인이 되는 것이므로 현재분사 surprising이 알맞다.

1 Day 기초 유형 연습

A **1** 그들은 밤에 숨을 장소를 찾고 있었다.
　　2 인간은 체온을 조절하는 것을 돕기 위해 땀을 흘린다.
　　3 그녀는 자신의 새 책에 대한 부정적인 평을 읽고 충격을 받았다.
　　4 나는 이 운동화가 신기 편하다는 것을 알았다.

B **1** Images are mental pictures showing ideas and experiences.
　　2 A man called Mr. Black came up with a helpful invention.
　　3 The city council decided to rebuild the building destroyed in the war.
　　4 The engineer created frightening sound effects for the new movie.

A **1** to hide during the night가 a place를 꾸미는 형용사적 용법으로 쓰였다.
　　2 to help control their body temperatures가 목적을 나타내는 to부정사의 부사적 용법으로 쓰였다.
　　3 to read ~ her new book이 감정의 원인을 나타내는 to부정사의 부사적 용법으로 쓰였다.
　　4 to wear가 형용사 comfortable을 꾸미는 부사 역할을 한다.

B **1** mental pictures(심상)가 생각과 경험을 '보여주는' 것이므로 show를 능동의 현재분사로 바꿔서 꾸며 준다.
　　2 남자가 Mr. Black이라고 다른 사람들에게 '불리는' 것이므로 call을 수동의 과거분사로 바꿔 a man을 꾸민다.
　　3 the building이 전쟁 중에 '파괴된' 것이므로 destroy를 수동·완료의 과거분사로 바꿔서 꾸며 준다.
　　4 sound effects가 무서움을 느끼게 하는 감정의 원인이므로 frighten을 현재분사로 바꿔야 한다. 분사가 단독으로 명사를 꾸미므로 명사 앞에 쓴다.

2 Day 명사절을 이끄는 접속사

1 (1) 너는 그의 아버지가 가수라는 것을 알고 있니?
　　(2) 그녀가 당신을 위해 이 대본을 쓴 것은 사실이다.
　　(3) 내 질문은 내가 이 온라인 강좌를 들어야 하는지 아닌지이다.
2 (1) that, 주어
　　(2) if, 목적어
　　(3) Whether, 주어

1 (1) 접속사 that이 이끄는 절이 목적어 역할을 한다.
　　(2) it은 가주어이고 that이 이끄는 절이 진주어이다.
　　(3) 접속사 whether가 이끄는 절이 보어 역할을 한다.

2 (1) 가주어-진주어 구조의 문장으로 that이 이끄는 명사절이 진주어이다.

2 Day 간접의문문

1 (1) what he would play at the concert, 무엇을
　　(2) where you are waiting for me, 어디에서
　　(3) when the plane takes off, 언제
　　(4) whether I had slept well last night, 잤는지
2 (1) Who　(2) which　(3) how　(4) if[whether]

2 (1) 주절이 의문문이고 동사가 suppose이므로 간접의문문 who spread the rumor about us의 의문문 who를 문장 맨 앞에 쓴다.
　　(2) 의문형용사 which가 명사 country를 꾸미므로, which country 전체가 주어 I 앞으로 와야 한다.

(3) 명사절이 know의 목적어로 쓰였다. '어떻게'라는 의미의 의문사 how가 적절하다.

(4) 의문사가 없는 의문문이 간접의문문이 된 것이므로 if 또는 whether를 접속사로 써야 한다.

2^{Day} 기초 유형 연습   pp. 106~107

A 1 that the doctor lied to his patients, 사실은 그 의사가 그의 환자들에게 거짓말을 했다는 것이다.

2 that the festival would be canceled, 축제가 취소될 것은 확실했다.

3 Whether we can finish the project, 우리가 그 프로젝트를 끝낼 수 있는지는 또 다른 문제이다.

4 that the oil price would go up, 정부는 석유 가격이 오를 것이라고 예상했다.

B 1 How do you think this machine works?

2 I asked Ethan what he bought at the duty free shop.

3 You should tell us when you will visit our school.

4 Where do you guess this photo was taken?

A 2 가주어–진주어 구조의 문장으로 that이 이끄는 명사절이 진주어이다.

B 1 간접의문문 문장에서 주절이 의문문이고 동사가 think, guess, suppose 등이면 간접의문문의 의문사를 문장 맨 앞에 쓴다.

2 간접의문문의 어순은 「의문사＋주어＋동사」이다.

3 간접의문문의 어순은 「의문사＋주어＋동사」이다.

4 간접의문문 문장에서 주절이 의문문이고 동사가 think, guess, suppose 등이면 간접의문문의 의문사를 문장 맨 앞에 쓴다.

3^{Day} 시간·이유의 부사절을 이끄는 접속사

개념 원리 확인 ①   p. 109

1 (1) While, 시간

(2) since, 이유

(3) As soon as, 시간

2 (1) When you feel tired, 피곤할 때에는

(2) because you lied to her often, 자주 거짓말을 했기 때문에

(3) as the sun comes up, 해가 뜨면서

(4) while I'm playing games, 게임하는 동안에는

3^{Day} 조건·양보의 부사절을 이끄는 접속사

개념 원리 확인 ②   p. 111

1 (1) 나는 그녀가 곤경에 처하면 그녀를 도울 것이다.

(2) 음식은 이미 식었지만, 아주 맛있었다.

(3) 늦게까지 깨어 있고 싶은 게 아니라면, 지금 커피를 마시지 마라.

2 (1) though the weather was not so good, 날씨가 그리 좋지 않았지만

(2) if the bus comes first, 버스가 먼저 온다면

(3) Although my phone freezes often, 내 전화기가 자주 멈추기는 하지만

3^{Day} 기초 유형 연습   pp. 112~113

A 1 I went into the kitchen because I wanted to drink some water. / Because I wanted to drink some water, I went into the kitchen.

2 While I was waiting for the bus, it began to rain. / It began to rain while I was waiting for the bus.

3 She ran out of the classroom as soon as the bell rang. / As soon as the bell rang, she ran out of the classroom.

4 Lea has been very busy since she entered the company. / Since Lea entered the company, she has been very busy.

B 1 Unless you go abroad, you don't have to get a passport. / You don't have to get a passport unless you go abroad.

2 Even though I had a headache, I went on working. / I went on working even though I had a headache.

3 Though she won the lottery, she still lives in her old apartment. / She still lives in her old apartment though she won the lottery.

4 If you like to be scared, you have to see his new horror movie. / You have to see his new horror movie if you like to be scared.

A **1** 이유를 나타내는 절 앞에 접속사 because를 쓴다.

2 동시에 일어나는 일을 나타내는 절 앞에 접속사 while을 쓴다.

3 as soon as: ~하자마자

4 since: ~ 이후로

B **1** unless: 만일 ~이 아니라면, ~하지 않는 한

2 even though: 비록 ~이지만, ~에도 불구하고

3 though: 비록 ~이지만, ~에도 불구하고

4 if: 만약 ~이라면

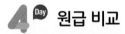 원급 비교

개념 원리 확인 ①   p. 115

1 (1) 그 요리사만큼 빠르게
(2) 네가 말한 것만큼 똑똑해
(3) 할 수 있는 만큼 아름답게
(4) 내 것만큼 편안하지

2 (1) sweet   (2) quietly
(3) three times   (4) so

2 (1) as와 as 사이에 들어갈 말은 감각 동사 tastes로 보아 주격 보어이므로 형용사가 알맞다.
(2) as와 as 사이에는 동사를 꾸미는 부사가 오는 것이 알맞다.
(3) '~의 몇 배만큼 …하다'라는 의미를 나타낼 때 원급 비교 앞에 배수사를 쓴다. three times: 세 배
(4) not ... as[so]+형용사/부사 원급+as ~: 원급 비교의 부정 표현으로 '~만큼 …하지 않다'로 해석한다.

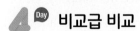 비교급 비교

개념 원리 확인 ②   p. 117

1 (1) 이 영화는 원작 소설보다 더 흥미롭다.
(2) 너는 네가 네 친구들보다 훨씬 더 운이 좋다고 생각해?
(3) 대개 7월에는 날씨가 점점 더 더워진다.

2 (1) better than
(2) The longer, the more tired
(3) than them
(4) much more, than

4 **Day** **기초 유형 연습**   pp. 118~119

A **1** The theater is as close as my school

2 This coat is as cheap as a sweater.

3 My younger brother is half as old as I am.

4 The summer vacation is not so long as the winter vacation.

B **1** The theory is even more complex than I thought.

2 The longer the night gets, the shorter the day gets.

3 She looks much younger than her age.

4 A movie usually needs more actors than a play.

A **1~2** as+형용사/부사 원급+as ~: ~만큼 …한/하게

3 배수사+as+형용사/부사 원급+as ~: ~의 몇 배만큼 … 한/하게

4 not ... as[so]+형용사/부사 원급+as ~: 원급 비교의 부정 표현으로 '~만큼 …하지 않다'로 해석한다.

B **1** 비교급을 강조할 때에는 비교급 앞에 even, much 등을 쓴다.

2 the+비교급 ~, the+비교급 …: 더 ~할수록 더 …하다

3 비교급을 강조할 때에는 비교급 앞에 even, much 등을 쓴다.

4 비교 대상 앞에 than을 쓴다.

5 **Day** 최상급 비교

개념 원리 확인 ①   p. 121

1 (1) 가장 붐비는   (2) 가장 유명한 사람
(3) 가장 자주   (4) 가장 작은

2 (1) of   (2) the tallest   (3) in

1 (3) 부사의 최상급 앞에는 the를 쓰지 않기도 한다.

2 (1) 뒤에 복수 명사가 있으므로 of가 알맞다.
(2) the+최상급+명사(+that)+주어+have ever+과거분사:
지금까지 …한 것 중 가장 ~한
(3) 뒤에 장소 표현이 있으므로 in이 알맞다.

5 ^{Day} 최상급 의미의 비교 표현

개념 원리 확인 ②   p. 123

1 (1) Megan은 팀에 있는 다른 어떤 선수보다 더 빨리 달린다.
(2) 다른 어떤 산도 에베레스트산보다 더 높지 않다.
(3) 나에게는 역사가 다른 어떤 과목보다 더 흥미롭다.
2 (1) Nothing   (2) than
(3) as   (4) other

2 (1) No (other)+A ~+비교급+than+B: 어떤 A도 B보다 더
~하지 않다
(2) 비교급+than+all the other+복수 명사: 다른 모든 …보
다 더 ~한/하게
(3) No (other)+A ~+as[so]+원급+as+B: 어떤 A도 B만큼
~하지 않다
(4) No (other)+A ~+비교급+than+B: 어떤 A도 B보다 더
~하지 않다

5 ^{Day} 기초 유형 연습   pp. 124~125

A **1** My elder sister is the tallest in my family.
2 Oliver is the best person that I have ever met.
3 This is the most delicious cheese pizza in the world.
4 It is one of the funniest movies of this year.

B **1** Nothing is more necessary than water in the desert.
2 No other sport is as popular as baseball in Korea.
3 Juwon studies harder than any other student in the class.
4 I like Hans more than all the other characters in this movie.

A **1** 최상급 뒤에 범위를 나타내는 표현이 온다.
2 the+최상급+명사(+that)+주어+have ever+과거분사:
지금까지 …한 것 중 가장 ~한
3 최상급 뒤에 범위를 나타내는 표현이 온다.
4 one of the+최상급+복수 명사: 가장 ~한 … 중의 하나

B **1** No (other)+A ~+비교급+than+B: 어떤 A도 B보다 더
~하지 않다
2 No (other)+A ~+as[so]+원급+as+B: 어떤 A도 B만큼
~하지 않다
3 비교급+than+any other+단수 명사: 다른 어떤 …보다
더 ~한/하게
4 비교급+than+all the other+복수 명사: 다른 모든 …보
다 더 ~한/하게

3주 누구나 100점 테스트   pp. 126~127

01 less dangerous   **02** whether   **03** factors
04 what   **05** because   **06** T   **07** F, the great →
the greater   **08** T   **09** F, time → times
10 F, finding → find

Quiz **03** 교통수단의 발전   **05** 그 모퉁이에서 만나는 것
08 길고 힘든 여행을 앞두고 있어서   **09** 약 1~2파운드

01 해석 큰 동물이 작은 동물보다 사실 도보 여행자에게 덜 위험
하다.
해설 less+원급: 덜 ~한/하게, 뒤에 than이 있으므로 비교
급 less를 포함하는 표현이 알맞다.

02 해석 그들은 차들이 동일한 시간 동안 달렸는지 판단하도록
요청 받았다.
해설 의미상 '~인지 아닌지'라는 의미의 접속사 whether가
어울린다.

끊어 읽기
They were asked / to judge / whether /
그들은 요청 받았다   판단하도록   ~인지 아닌지
the cars had run / for the same time.
차들은 달렸다   동일한 시간 동안

03 해석 교통수단의 발전은 현대 여행 산업이 큰 폭으로 발전하
게 한 가장 중요한 요소 중의 하나였다.
해설 one of the+최상급+복수 명사: 가장 ~한 … 중의 하나

Q 교통수단의 발전을 현대 여행 산업이 큰 폭으로 발전하게 한 요소 중 하나로 꼽았다.

> **끊어 읽기**
>
> The development / of transportation / was /
> 발전　　　　　　　교통수단의　　　　～였다
> one / of the most important factors /
> 하나　　가장 중요한 요소 중의
> in allowing / modern tourism / to develop /
> 가능하게 하는 데　현대 여행 산업이　　　발전하도록
> on a large scale.
> 큰 폭으로

04 **해석** 그 아이들 전부는 이야기 속에서 다음에 무엇이 일어날 것이라고 생각하는지 질문을 받았다.

해설 뒤에 있는 절은 간접의문문인 명사절로 의문사 what이 오는 것이 적절하다.

> **끊어 읽기**
>
> All of the children / were asked / what /
> 그 아이들 전부는　　　질문을 받았다　　무엇이
> they thought / would happen / next /
> 그들이 생각하기에　　벌어질 것이다　　다음에
> in the story.
> 이야기 속에서

05 **해석** 사람들이 그곳에 서 있는 것이 허가되지 않기 때문에 그 모퉁이에서 만나는 것은 나쁜 아이디어였다.

해설 부사절의 내용이 이유를 나타내고 있으므로 because 가 알맞다.

Q It이 가주어, to meet at that corner가 진주어인 구조이다. 따라서 to meet at that corner(주어) = a bad idea(주격 보어) 관계가 성립한다.

06 **해석** 자고 있는 어머니는 자신의 아기의 특정한 울음소리를 알아듣는 능력이 있다.

해설 현재분사 sleeping이 명사 mother를 꾸며 준다. 어머니가 자고 있는 것이므로 능동, 진행의 의미가 있는 현재분사가 알맞다. to identify는 형용사적 용법의 to부정사로 앞의 the ability를 꾸민다.

07 **해석** 당신이 독자에 대해 더 많이 알수록, 그들의 기대를 충족시킬 가능성이 더 크다.

해설 the+비교급 ～, the+비교급 …: 더 ～할수록 더 …하다, 따라서 great를 비교급 greater로 고쳐 써야 한다. 두 번째 절의 동사인 their expectations 뒤의 are는 생략된 형태이다.

구문 풀이

· **the greater the chances you will meet their expectations (are):** 「the+비교급 ～, the+비교급 …」 구문에서는 be동사가 생략될 수 있다. 따라서 두 번째 절의 마지막에 be동사 are가 생략된 것으로 볼 수 있다.

08 **해석** 길고 힘든 여행을 앞두고 있기 때문에 나는 잠을 더 자는 편이 낫겠다.

해설 접속사 since는 이유를 나타내는 부사절을 이끈다.

Q since 뒤에 이유가 나온다.

09 **해석** 육류 2파운드를 생산하는 것은 채소 2파운드를 생산하는 것의 약 5~10배의 물을 필요로 한다.

해설 배수사는 「숫자+times」로 쓴다. time을 복수 times 로 고쳐 써야 한다.

Q 같은 양의 육류를 생산하기 위해 채소를 생산할 때 사용하는 물의 5~10배를 사용하므로, 같은 양의 물로는 채소의 1/10~1/5에 해당하는 육류를 생산할 수 있다.

> **끊어 읽기**
>
> To produce / two pounds of meat / requires /
> 생산하는 것은　　2파운드의 육류를　　　필요로 한다
> about 5 to 10 times / as much water as /
> 약 5~10배의　　　　　　～만큼 많은 물을
> to produce / two pounds of vegetables.
> 생산하는 것　　2파운드의 채소를

10 **해석** 이것은 당신에게 어떤 것들을 충분히 생각하고 상대를 대하는 더 나은 방법을 찾을 시간을 줄 것이다.

해설 time을 꾸미는 형용사적 용법의 to부정사 두 개가 접속사 and로 연결된 구조이다. 따라서 finding 앞에 to가 생략되었다고 보고 동사원형으로 쓰는 것이 적절하다.

> **끊어 읽기**
>
> This will give / you / time /
> 이것은 줄 것이다　당신에게　시간을
> to think things through / and / find a better way /
> 어떤 것들을 충분히 생각할　　그리고　더 나은 방법을 찾을
> to deal with / the other person.
> 대하는　　　　상대방을

창의·융합·사고력　　pp. 128~133

1일 The boy waiting at the door was Randy.
2일 I don't know how you solved this puzzle.
3일 When I finish this work, I'll go out.
4일 This piece is much smaller than yours.
5일 Nothing is better than being home.

1일 **해석** 문가에서 기다리는 소년은 Randy였다.

해설 소년이 기다리는 것이므로 능동, 진행의 의미가 있는 현재분사가 꾸미는 것이 자연스럽다.

2일 **해석** 나는 네가 이 퍼즐을 어떻게 풀었는지 모르겠다.

해설 간접의문문은 「의문사+주어+동사」로 쓴다.

3일 해석 내가 이 일을 끝내면 밖에 나갈 것이다.
해설 시간을 나타내는 부사절에서는 미래를 나타낼 때 현재 시제를 쓴다.

4일 해석 이 조각은 네 것보다 훨씬 더 작다.
해설 비교급을 강조하는 much, far, a lot, even 등은 비교급 앞에 쓴다.

5일 해석 어떤 것도 집에 있는 것보다 더 좋지 않다.
해설 No (other)+A ~+비교급+than+B: 어떤 A도 B보다 더 ~하지 않다, 비교급 better가 있는 것으로 보아 비교 대상인 being home 앞에는 than이 와야 한다.

A 1 I spend money on transportation twice as much as on games.
2 I spend money on snacks four times as much as on games.
3 I donate money as much as I spend on games.
B 1 what they need
2 if[whether] she wrote the book herself
C 1 Y   2 N   3 Y
D 우영
E 1 satisfied   2 shocked   3 frying
F 1 Because I was very thirsty, I bought a bottle of water. / I bought a bottle of water because I was very thirsty.
2 Andy doesn't know that Mr. Bailey left our school.
3 Don't turn on the air conditioner unless it is really hot. / Unless it is really hot, don't turn on the air conditioner.
G 1 (1) the tallest   (2) taller
     (3) shorter
2 (1) older, any   (2) more, than
     (3) Chris

A 1 **해석** 나는 게임비의 절반만큼(→ 게임비의 두 배만큼) 교통비로 돈을 쓴다.
해설 용돈의 12.5%를 게임비로 쓰고 25%를 교통비로 쓰므로, 교통비로 게임비의 두 배를 쓰는 것이다. 두 배를 나타낼 때 twice를 쓴다.
2 **해석** 나는 게임비의 두 배(→ 네 배)만큼 간식에 돈을 쓴다.
해설 용돈의 12.5%를 게임비로 쓰고 50%를 간식비로 쓰므로, 간식비로 게임비의 네 배를 쓴다. 따라서 twice를 네 배를 나타내는 배수사 four times로 고쳐 쓴다.

---

3 **해석** 나는 내가 간식(→ 게임)에 쓰는 것만큼 돈을 기부한다.
해설 as much as로 보아 기부하는 것만큼 돈을 사용하는 품목을 찾아야 하므로 똑같이 용돈의 12.5%를 사용하는 게임이 알맞다.

B 1 **해석** 그들은 무엇을 필요로 하니? → 그녀는 그들이 무엇을 필요로 하는지 모른다.
해설 여자가 말한 의문문을 문장 안에 포함시키려면 간접의문문으로 고쳐 쓰는 것이 알맞다. 「의문사+주어+동사」 순서로 쓴다.
2 **해석** 그녀가 그 책을 직접 집필했니? → 그는 그녀가 그 책을 직접 집필했는지 궁금해 하고 있다.
해설 남자가 말한 의문문을 문장 안에 포함시키려면 간접의문문으로 고쳐 쓰는 것이 알맞다. 의문사가 없으므로 「if[whether]+주어+동사」 순서로 쓴다.

C 1 **해석** 어떤 학생도 Lily의 반에서 Lily보다 더 성실하지 않다. / Lily는 그녀의 반에서 가장 성실한 학생이다.
해설 「No (other)+A ~+비교급+than+B」는 비교급을 사용하여 최상급의 의미를 나타낸다.
2 **해석** 이 가방은 저것의 두 배만큼 크다. / 저 가방은 이것만큼 작다.
해설 원급 비교 표현 앞에 배수사가 있으면 '…의 몇 배만큼 ~하다'라는 의미이다.
3 **해석** 나는 그 소식을 듣지 못해서, 그녀를 만나러 갔다. / 나는 그 소식을 듣지 못했기 때문에 그녀를 만나러 갔다.
해설 since는 이유를 나타내는 부사절을 이끄는 접속사로 쓰였다.

D **해석 주선** 그 섬은 바다에 떠 있는 거북이처럼 보인다.
우영 책상에서 코를 골고 있는 소년은 내 남동생이다.
수현 불이 난 건물 근처에 가지 마라.
해설 우영 소년이 코를 고는 것이므로 snored를 현재분사 snoring으로 고쳐 쓰는 것이 알맞다.

E 1 **해석** 우리는 놀라운/혼란스러운 결과를 받았다.
해설 결과가 감정의 원인이 되는 것이므로 현재분사로 꾸미는 것이 알맞다.
2 **해석** 나는 Aaron으로부터 매우 흥미로운/실망스러운 소식을 들었다.
해설 소식이 감정의 원인이 되는 것이므로 현재분사로 꾸미는 것이 알맞다.
3 **해석** 내 남동생은 찐/너무 익힌 음식을 먹지 않는다.
해설 음식이 사람에 의해 조리되는 것이므로 수동의 의미가 있는 과거분사로 꾸며야 한다.

F 1 **해석** 나는 매우 목이 말라서 물 한 병을 샀다.
해설 이유를 나타내는 부분 앞에 because를 써서 부사절을 만든다.

2 해석 Andy는 Bailey 씨가 우리 학교를 떠났다는 걸 모른다.

해설 의미상 Bailey 씨가 떠났다는 내용이 doesn't know의 목적어가 되어야 하므로 앞에 명사절을 이끄는 that을 쓴다.

3 해석 정말 덥지 않으면 에어컨을 켜지 마라.

해설 unless는 '만약 ~하지 않으면, ~하지 않는 한'의 의미이므로 이러한 조건을 나타내는 말 앞에 써서 부사절을 만든다.

G 1 해석 지수는 Leo보다 키가 더 크다. Ethan은 지수보다 키가 더 크다. Leo는 Emily보다 키가 더 크다.

(1) Ethan은 네 명 중 가장 키가 크다.

(2) 지수는 Emily보다 키가 더 크다.

(3) Leo는 Ethan보다 키가 더 작다.

해설 키가 큰 순서대로 하면 Ethan – 지수 – Leo – Emily이다.

2 해석 수호는 팀에서 가장 많은 골을 기록했다. Chris는 팀에서 다른 어떤 멤버보다 더 빨리 달린다. Tom은 팀의 주장이다. 그는 팀에서 가장 나이가 많은 멤버이다.

(1) Tom은 팀에서 어떤 다른 멤버보다도 더 나이가 많다.

(2) 다른 어떤 멤버도 팀에서 수호보다 더 많은 골을 기록하지 못했다.

(3) 다른 어떤 멤버도 팀에서 Chris만큼 빨리 달리지 못한다.

4주 관계사, 분사구문, 가정법

이번 주에는 무엇을 공부할까? ②

pp. 136~137

1 (1) 목적격 (2) 주격 (3) 소유격

2 (2) 읽으면서 / 소설을 / 나는 / 먹었다 / 약간의 팝콘을
(3) 만약 ~라면 / 내가 / ~이다 / 너 / 나는 / ~하지 않을 텐데 / 그녀를 믿다

1 해석 (1) Beth가 그린 그림은 아름다웠다.
(2) Bob Dylan은 노벨상을 수상한 작사가이다.
(3) 자전거를 도둑맞은 소년은 경찰에 전화했다.

해설 (1) 동사 drew의 목적어 역할을 한다.
(2) 동사 won의 주어 역할을 한다.
(3) 명사 bike의 소유격 역할을 한다.

1 Day 주격/목적격 관계대명사

개념 원리 확인 ①

p. 139

1 (1) who (2) which (3) whom

2 (1) who selected a small box, 작은 상자를 선택한
(2) that I had baked for my grandma, 내가 할머니를 위해 구운
(3) which live both on land and in water, 땅 위와 물 속에서 모두 사는

1 (1) 선행사(someone)가 사람이고 관계사절에서 주어 역할을 하므로 주격 관계대명사 who가 알맞다.
(2) 선행사(technology)가 사물이고 관계사절에서 주어 역할을 하므로 주격 관계대명사 which가 알맞다.
(3) 선행사(a teacher)가 사람이고 관계사절에서 목적어 역할을 하므로 목적격 관계대명사 whom이 알맞다.

2 (1) 선행사 a girl을 꾸미는 주격 관계대명사절은 who selected a small box이다.
(2) 선행사 the cookies를 꾸미는 목적격 관계대명사절은 that I had baked for my grandma이다.
(3) 선행사 animals를 꾸미는 주격 관계대명사절은 which live both on land and in water이다.

1 ^{Day} 소유격 관계대명사

1 (1) whose mother is a movie star, 어머니가 영화배우인
(2) whose roots are underwater, 뿌리가 물속에 있는
(3) whose leg had been broken in the accident, 사고로 다리가 부러진

2 (1) ③　(2) ②　(3) ②

1 (1) I know a boy.＋His mother is a movie star.를 소유격 관계대명사 whose를 이용하여 한 문장으로 쓴 것이다.
(2) There are trees.＋Their roots are underwater.를 소유격 관계대명사 whose를 이용하여 한 문장으로 쓴 것이다.
(3) We saved a dog.＋Its leg had been broken in the accident.를 소유격 관계대명사 whose를 이용하여 한 문장으로 쓴 것이다.

2 소유격 관계대명사를 쓸 때 「선행사＋whose＋명사 ~」 형태로 쓰며 whose가 소유격 역할을 하므로, 선행사인 명사와 관사가 없는 명사 사이에 whose가 오게 된다는 점에 유의한다.
(1) I had dinner at the restaurant.＋Its owner is Chinese.를 한 문장으로 쓸 때 선행사 the restaurant 다음에 소유격 관계대명사 whose를 쓴다.
(2) Are you one of the countless people?＋Their mind and body have been overworked.를 한 문장으로 쓸 때 선행사 people 다음에 소유격 관계대명사 whose를 쓴다.
(3) Claude Monet is an artist.＋His works are mainly focused on scenes of nature.를 한 문장으로 쓸 때 선행사 an artist 다음에 소유격 관계대명사 whose를 쓴다.

1 ^{Day} 기초 유형 연습　　　　　　pp. 142~143

A **1** There are many athletes who do not eat a balanced diet.
2 The Sahara is a desert which covers most of North Africa.
3 She imitated the sound that her dog made.
4 The writer whom you criticized won't reply to the request.

B **1** whose roof is covered with snow, 지붕이 눈으로 뒤덮인 교회를 봐.

2 whose hair is short and curly, 머리가 짧고 곱슬곱슬한 그 소녀는 내 학급 친구이다.
3 whose first language is not English, 이 강좌는 모국어가 영어가 아닌 학생들을 위한 것이다.
4 whose houses were flooded, 나는 집이 물에 잠긴 그 사람들에 대해 깊은 유감을 느낀다.

A **1** 선행사 many athletes 다음에 주어 역할을 하는 관계대명사 who가 필요하다. 주격 관계대명사 다음에는 동사가 온다.
2 선행사 a desert 다음에 주어 역할을 하는 관계대명사 which가 필요하다. 주격 관계대명사 다음에는 동사가 온다.
3 선행사 the sound 다음에 목적어 역할을 하는 관계대명사 that을 써야 한다. 목적격 관계대명사 다음에는 「주어＋동사」가 온다.
4 선행사 the writer 다음에 목적어 역할을 하는 관계대명사 whom을 써야 한다. 목적격 관계대명사 다음에는 「주어＋동사」가 온다.

B **1** 소유격 관계대명사 뒤에는 명사가 온다. be covered with: ~로 뒤덮이다
2~4 소유격 관계대명사 뒤에는 명사가 온다.

2 ^{Day} 관계대명사 what

1 (1) What　(2) that　(3) what
2 (1) What, 중요한 것
(2) what, 마음의 눈으로 보고 있는 것
(3) which, what, 필요로 하는 것

1 (1) 선행사가 없고 뒤에 불완전한 절이 나오므로 관계대명사 what이 알맞다.
(2) 선행사 the only thing이 있으므로 주격 관계대명사 that이 알맞다.
(3) 선행사가 없고 뒤에 불완전한 절이 나오므로 관계대명사 what이 알맞다. his teacher는 간접목적어이고, what ~ his pocket이 직접목적어이다.

2 (1) 선행사가 없고 뒤에 불완전한 절이 나오므로 관계대명사 what이 알맞다. what이 이끄는 절이 주어 역할을 한다.
(2) 선행사가 없고 뒤에 불완전한 절이 나오므로 관계대명사 what이 알맞다. what이 이끄는 절이 전치사의 목적어 역할을 한다.

(3) 선행사 a store 다음에는 주격 관계대명사 which가 알맞다. sells 다음에는 선행사를 포함한 관계대명사 what이 알맞다. 이때 what이 이끄는 절이 목적어 역할을 한다.

2^{Day} 관계부사

개념 원리 확인 ②   p. 147

1 (1) when, 때[시간] (2) where, 장소 (3) why, 이유
2 (1) ② (2) ② (3) ①

1 (1) 시간을 나타내는 선행사 the time 다음에는 관계부사 when 이 알맞다.
(2) 장소를 나타내는 선행사 a quiet place 다음에는 관계부사 where가 알맞다.
(3) 이유를 나타내는 선행사 the reason 다음에는 관계부사 why가 알맞다.

2 (1) 시간을 나타내는 선행사 the days 다음에 관계부사 when 이 와야 한다.
(2) She explained the way.+Bees communicate with each other in the way.를 관계부사 how를 이용해 한 문장으로 바꿔 쓸 때 선행사 the way는 생략해야 한다.
(3) 장소를 나타내는 선행사 a seminar room 다음에 관계부사 where가 와야 한다.

2^{Day} 기초 유형 연습

기초 유형 연습   pp. 148~149

A 1 This is not what I asked for.
2 She showed me what she bought at the flea market.
3 What may surprise you is the talents of those students.
4 He had to pay for what he had done.

B 1 I don't like how he talks.
2 Do you know the year when the first Olympics were held?
3 New York is the city where you can find world-famous attractions.
4 There is a reason why the movie was a big success.

A 1 관계대명사 what은 선행사를 포함하고 있으며 '~하는 것' 이라는 의미이다. 관계대명사 what이 이끄는 명사절이 보어 역할을 한다.
2 관계대명사 what이 이끄는 명사절이 목적어 역할을 한다.
3 관계대명사 what이 이끄는 명사절이 주어 역할을 한다.
4 관계대명사 what이 이끄는 명사절이 전치사 for의 목적어 역할을 한다.

B 1 방법을 나타내는 관계부사 how를 이용하되, 이때 선행사 the way는 쓰지 않는다는 점에 주의해야 한다.
2 시간을 나타내는 선행사 the year 다음에 관계부사 when 을 쓴다.
3 장소를 나타내는 선행사 the city 다음에 관계부사 where 를 쓴다.
4 이유를 나타내는 선행사 a reason 다음에 관계부사 why를 쓴다.

3^{Day} 계속적 용법의 관계사

개념 원리 확인 ①   p. 151

1 (1) 그에게는 아들이 두 명 있는데, 그들은 모두 영어 선생님이다.
(2) 그 선수는 월드컵 경기 후에 은퇴했고, 그것은 모두를 놀라게 했다.
(3) 그 소녀는 내가 창문을 깼다고 그에게 말했는데, 그것은 거짓말이었다.
2 (1) where (2) which (3) who

1 (1) 계속적 용법의 관계사는 선행사에 대해 추가적인 설명을 할 때 쓴다. *cf.* He has two sons who are English teachers.: 관계대명사절이 선행사 two sons를 꾸미므로, '그에게는 (아들이 모두 몇 명인지 알 수 없지만) 영어 선생님인 아들 두 명이 있다.'라는 의미가 된다.
(2) 관계대명사 which가 앞 절 전체를 선행사로 받는다.
(3) 관계대명사 which가 앞의 that절을 선행사로 받는다.

2 (1) 선행사(Busan)가 장소를 나타내므로 관계부사 where가 알맞다.
(2) 선행사(this book)가 사물이므로 관계대명사 which가 알맞다. 계속적 용법이므로 that을 쓸 수 없음에 유의한다.
(3) 선행사(Elvis Presley)가 사람이고 주어 역할을 하므로 관계대명사 who가 알맞다. 계속적 용법이므로 that을 쓸 수 없음에 유의한다.

3^{Day} 복합관계사

개념 원리 확인 ② p. 153

1 (1) 그 표가 필요한 누구에게든지 그것을 주어라.
   (2) 내가 그녀에게 말을 할 때마다 내 심장은 빠르게 뛴다.
   (3) 아무리 열심히 노력해도 나는 공을 잡는 데 실패했다.
2 (1) Whatever (2) Wherever (3) whichever

1 (1) 명사절을 이끄는 whoever는 '~하는 누구든지'라는 의미이다.
   (2) 시간의 부사절을 이끄는 whenever는 '~할 때마다'라는 의미이다.
   (3) 양보의 부사절을 이끄는 however 뒤에 형용사나 부사가 오면 '아무리 ~하더라도'라는 의미이다.

2 (1) 양보의 부사절을 이끄는 whatever는 '무엇을 ~하더라도'라는 의미이다.
   (2) 양보의 부사절을 이끄는 wherever는 '어디에(서) ~하더라도'라는 의미이다.
   (3) 명사절을 이끄는 whichever는 '~하는 어느 것이든지'라는 의미이다.

3^{Day} 기초 유형 연습 pp. 154~155

A 1 They reached a small village, where they spent the night.
  2 I ran into my uncle, whom I hadn't seen for a long time.
  3 The town was hit by a hurricane, which destroyed everything.
  4 He forgot to bring his homework, which made his teacher angry.

B 1 규칙을 어기는 사람은 누구든지 벌을 받아야 한다.
  2 우리는 너를 지원하기 위해 필요한 무엇이든 할 것이다.
  3 당신이 우울함을 느낄 때마다 숲속을 걸어 보세요.
  4 그가 아무리 똑똑할지라도 그는 여전히 어린아이다.
  5 당신이 도시의 어디에 있든, 당신은 그 성을 볼 수 있다.

A 1 선행사 a small village 뒤에 장소를 나타내는 관계부사 where를 쓴다.
  2 선행사 my uncle 다음에 목적격 관계대명사 whom을 쓴다.

3 선행사 a hurricane 다음에 주격 관계대명사 which를 쓴다.
4 선행사가 앞 절 전체(He forgot to bring his homework)일 때 계속적 용법의 관계대명사로 which를 쓴다.

B 1 복합 관계대명사 whoever가 이끄는 절이 주어 역할을 하는 명사절로 쓰였으므로 '~하는 누구든지'로 해석한다.
  2 복합 관계대명사 whatever가 이끄는 절이 목적어 역할을 하는 명사절로 쓰였으므로 '~하는 무엇이든지'로 해석한다.
  3 복합 관계부사 whenever가 이끄는 절이 시간을 나타내는 부사절로 쓰였으므로 '~할 때마다'로 해석한다.
  4 복합 관계부사 however는 양보의 부사절을 이끌며 뒤에 형용사나 부사가 올 때 '아무리 ~하더라도'로 해석한다.
  5 복합 관계부사 wherever가 이끄는 절이 양보의 부사절로 쓰였으므로 '어디에(서) ~하더라도'라고 해석한다.

4^{Day} 분사구문의 의미

개념 원리 확인 ① p. 157

1 (1) 너무 바빠서 나는 저녁을 걸러야 했다.
   (2) 왼쪽으로 돌면 극장이 보일 것이다.
   (3) Jessica는 다락방을 청소하다가 그녀의 낡은 옷들을 발견했다.
2 (1) Listening to music
   (2) Opening the door
   (3) Getting poor grades

1 (1) 이유를 나타내는 분사구문으로 Because[As/Since] I was very busy, I had to skip dinner.로 바꿔 쓸 수 있다.
   (2) 조건을 나타내는 분사구문으로 If you turn to the left, you can see the theater.로 바꿔 쓸 수 있다.
   (3) 동시동작을 나타내는 분사구문으로 As[While] she was cleaning out the attic, Jessica found her old clothes.로 바꿔 쓸 수 있다.

2 (1) 접속사 As를 생략하고 부사절의 주어와 주절의 주어가 같으므로 주어 I를 생략한 뒤, 동사 listened를 현재분사 listening으로 고친다.
   (2) 접속사 When을 생략하고 부사절의 주어와 주절의 주어가 같으므로 주어 she를 생략한 뒤, 동사 opened를 현재분사 opening으로 고친다.
   (3) 접속사 Because를 생략하고 부사절의 주어와 주절의 주어가 같으므로 주어 he를 생략한 뒤, 동사 got을 현재분사 getting으로 고친다.

4 ^{Day} 분사구문의 시제와 형태

개념 원리 확인 ②
p. 159

1 (1) Being (2) Having tried (3) It being
2 (1) Not knowing
(2) Written
(3) Having watched

1 (1) Because[As/Since] I was badly injured에서 접속사와 주어를 생략하고 동사 was를 현재분사 being으로 고쳐 분사구문을 만든 것이다.
(2) Though we had tried to solve the problem에서 접속사와 주어를 생략하고, 부사절의 시제가 주절의 시제보다 앞서므로 완료 분사구문인 「having+과거분사」의 형태로 썼다.
(3) Because[As/Since] it was snowy, we couldn't go hiking.에서 접속사를 생략하고, 부사절의 주어(it)와 주절의 주어(we)가 다르므로 부사절의 주어를 생략하지 않고 남겨둔 것이다. 동사 was는 현재분사 being으로 고쳐 분사구문은 It being snowy가 된다.
2 (1) 분사구문의 부정은 분사 앞에 not을 쓴다.
(2) 수동태의 분사구문에서는 보통 being이나 having been이 생략되므로 Written이 알맞다.
(3) 부사절의 시제가 주절의 시제보다 앞서므로 완료 분사구문인 「having+과거분사」의 형태로 쓴다.

4 ^{Day} 기초 유형 연습
pp. 160~161

A **1** Using this tool, 이 도구를 이용하면 당신은 사람들과 의사소통할 수 있을 것이다.
2 pushing his grandpa in a wheelchair, 그는 휠체어에 탄 할아버지를 밀어 주면서 공원을 걷고 있었다.
3 Accepting what you say, 네가 하는 말을 인정하지만, 난 여전히 네 계획에 반대한다.
4 Seeing his face, 그의 얼굴을 봤을 때[보자마자] 나는 무언가 나쁜 일이 벌어지고 있다는 것을 깨달았다.
5 Being excited about the trip, 여행에 대해 너무 신이 나서, 그들은 밤새 잠을 잘 수 없었다.
B **1** Having spent all of his money, he is in trouble.
2 Not feeling well, he didn't go to school.

3 Surprised by the thunder and lightning, I dropped my bag.
4 The baby falling over a chair, the father ran to her.

A **1** 조건을 나타내는 분사구문으로 부사절 If you use this tool로 바꿔 쓸 수 있다.
2 동시동작을 나타내는 분사구문으로 as[while] he was pushing his grandpa in a wheelchair로 바꿔 쓸 수 있다.
3 양보를 나타내는 분사구문으로 Although[Though] I accept what you say로 바꿔 쓸 수 있다.
4 시간을 나타내는 분사구문으로 When[As soon as] I saw his face로 바꿔 쓸 수 있다.
5 이유를 나타내는 분사구문으로 Because[As/Since] they were excited about the trip으로 바꿔 쓸 수 있다.

B **1** 부사절의 시제가 주절의 시제보다 앞서므로 완료 분사구문인 「having+과거분사」의 형태로 쓴 문장이다. (= Because[As/Since] he spent all of his money, he is in trouble.)
2 분사구문의 부정은 분사 앞에 not을 쓴다. (= Because[As/Since] he didn't feel well, he didn't go to school.)
3 Surprised 앞에 being이 생략된 형태이다. (= Because[As/Since] I was surprised by the thunder and lightning, I dropped my bag.)
4 부사절의 주어(the baby)와 주절의 주어(the father)가 다르므로 부사절의 주어를 생략하지 않고 남겨둔 문장이다. (= When the baby fell over a chair, the father ran to her.)

5 ^{Day} 가정법 과거

개념 원리 확인 ①
p. 163

1 (1) 내가 춥다면, 나는 창문을 닫을 거야.
(2) 네가 그를 방문한다면, 그의 조언을 얻을 수 있을 텐데.
(3) 내 개가 내 말을 이해할 수 있다면 좋을 텐데.
2 (1) would, had (2) could, knew (3) agreed

1 (1), (2) 가정법 과거는 현재 사실과 반대되거나 현재 이루어질 가능성이 희박한 일을 가정한 문장으로 '만약 ~한다면 …할 텐데'라고 해석한다.
(3) I wish 가정법 과거는 현재에 대한 아쉬움을 나타내어 '~라면 좋을 텐데'라고 해석한다.

2 (1), (2) 가정법 과거는 「If+주어+동사 과거형 ~, 주어+조동사 과거형+동사원형 …」의 형태이며, if가 이끄는 절을 뒤에 쓸 수 있다.

(3) 「as if+주어+were/동사 과거형」은 '마치 ~인 것처럼'이라는 의미로 주절과 같은 시점의 사실과 반대 상황을 가정한다.

5 Day 가정법 과거완료

개념 원리 확인 ②

p. 165

1 (1) 네가 제시간에 왔다면 Bill을 만날 수 있었을 텐데.
(2) 내가 그 리뷰를 읽었다면 그 영화를 보지 않았을 텐데.
(3) 케이크는 5살짜리에 의해 구워진 것처럼 보였다.

2 (1) have answered
(2) had stayed
(3) had studied

1 (1), (2) 과거의 사실과 반대되는 일을 가정할 때 가정법 과거완료를 쓰며 '만약 ~했다면, …했을 텐데'라고 해석한다.
(3) 「as if+주어+had+과거분사」는 '마치 ~이었던 것처럼'이라는 의미로 주절보다 앞선 시점의 사실과 반대 상황을 가정한다.

2 (1), (2) 가정법 과거완료의 형태는 「If+주어+had+과거분사 ~, 주어+조동사 과거형+have+과거분사 …」이고 if절은 뒤에 쓸 수 있다.
(3) I wish 가정법 과거완료는 「I wish+주어+had+과거분사 ~」의 형태로 과거에 대한 아쉬움을 나타내며 '~했더라면 좋을 텐데'라고 해석한다.

5 Day 기초 유형 연습

pp. 166~167

A **1** If I were you, I would not apologize to her. /
I would not apologize to her if I were you.
2 If the weather were sunny, they would wash bedclothes. / They would wash bedclothes if the weather were sunny.

3 If you ate less fast food, you could be healthier. /
You could be healthier if you ate less fast food.
4 I wish I had extra money to buy a present for her.

B **1** 그 아기는 괴물을 봤던 것처럼 울었다.
2 그들이 진실을 스스로 발견했더라면 좋을 텐데.
3 노트북 컴퓨터가 더 작았다면 그녀는 그것을 가방에 넣을 수 있었을 텐데.
4 그가 안전벨트를 맸다면 그의 부상은 달랐을 텐데.

A **1~3** 가정법 과거는 「If+주어+were/동사 과거형 ~, 주어+조동사 과거형+동사원형 …」의 형태이며, if가 이끄는 절을 뒤에 쓸 수 있다.
4 I wish 가정법 과거는 「I wish+주어+were/동사 과거형 ~」의 형태로, 현재에 대한 아쉬움을 나타낸다.

B **1** as if 가정법 과거완료는 '마치 ~이었던 것처럼'이라는 의미로 주절보다 앞선 시점의 사실과 반대 상황을 가정한다.
2 I wish 가정법 과거완료는 과거에 대한 아쉬움을 나타내며 '~했더라면 좋을 텐데'라고 해석한다.
3, 4 가정법 과거완료는 과거의 사실과 반대되는 일을 가정할 때 쓰며 '만약 ~했다면, …했을 텐데'라고 해석한다.

4주 누구나 100점 테스트

pp. 168~169

01 who **02** whose **03** which **04** what
05 stopped **06** T **07** F, how → why **08** F, had ended → have ended **09** T **10** T

Quiz **01** the people **03** 문어체가 더 복잡하다는 것
04 × **09** After they[the company's leaders] had spent that night in airline seats

01 **해석** 당신의 진술은 범죄를 저지른 사람들을 추적하는 데 사용될 것이다.
해설 선행사가 사람이므로 주격 관계대명사는 who가 알맞다.
Q 주격 관계대명사 who 앞의 명사 the people이 선행사이다.

끊어 읽기
Your statement / will be used / to track down /
당신의 진술은   사용될 것이다   추적하기 위해
the people / who committed the crime.
사람들을   범죄를 저지른

02 **해석** 그래서 심장이 멈춘 환자는 더 이상 죽은 것으로 간주될 수 없다.

해설 뒤에 관사 없이 명사가 쓰인 것으로 보아 소유격 관계대명사 whose가 알맞다.

> **끊어 읽기**
> So / a patient / whose heart has stopped /
> 그래서 / 환자는 / 그의 심장이 멈춘
> can no longer / be regarded / as dead.
> 더 이상 ~할 수 없다 / 간주되다 / 죽은 것으로

03 **해석** 문어체는 더 복잡한데, 이는 읽는 것을 더 수고롭게 만든다.

해설 Written language is more complex 전체가 선행사이므로 관계대명사 which가 알맞다. 관계대명사 that은 계속적 용법으로 쓸 수 없다.

Q 앞의 절 전체가 선행사이다.

구문 풀이

- **which makes it more work to read:** make A B(A를 B로 만들다)의 5형식 구조로, it은 가목적어이고 뒤의 to read가 진목적어, more work가 목적격 보어이다. '읽는 것'을 '더 많은 일'로 만든다는 의미가 된다.

04 **해석** 다른 사람이 당신에게 하기를 원하지 않는 것을 다른 사람에게 하지 마라.

해설 선행사가 없고 뒤에 불완전한 절이 나오므로 선행사를 포함한 관계대명사 what이 알맞다.

Q what은 others를 꾸미는 형용사절이 아니라 동사 do의 목적어로 쓰인 명사절을 이끈다.

05 **해석** 만약 그들이 멈춰서 생각한다면[곰곰이 생각해 본다면], 그들은 기부를 처리하는 비용이 그것이 자선단체에 가져다주는 어떤 혜택이든 초과할 가능성이 있다는 것을 깨닫게 될 것이다.

해설 주절에 조동사의 과거형이 쓰였으므로 가정법 과거 문장임을 알 수 있다.

> **끊어 읽기**
> If / they stopped / to think, / they would realize
> 만약 / 그들이 멈춘다면 / 생각하기 위해 / 그들은 ~라는 것을 깨달을 것이다
> that / the cost of processing the donation /
> 기부를 처리하는 비용이
> is likely to exceed / any benefit / it brings /
> 초과할 가능성이 있다 / 어떤 혜택이든 / 그것이 가져다주는
> to the charity.
> 자선단체에

06 **해석** 여러분이 아무리 나이가 들었더라도 여러 가지를 시도하는 것을 두려워하지 마라.

해설 복합 관계부사 however는 양보의 부사절을 이끌며 대개 「however+형용사/부사+주어+동사 ~」의 어순으로 쓰인다.

07 **해석** 대다수의 과학자들이 창의적이지 않은 단순한 이유는 그들이 생각하는 것을 멈추지 않기 때문이다.

해설 이유를 나타내는 선행사 다음에는 관계부사 why가 알맞다.

08 **해석** 만약 그가 그들의 일상적 수면을 방해하지 않았다면, 그 워크숍은 어떤 변화도 없이 끝났을지도 모른다.

해설 가정법 과거완료는 과거 사실과 반대되는 일을 가정하며, 형태는 「If+주어+had+과거분사 ~, 주어+조동사 과거형+have+과거분사 …」이다.

> **끊어 읽기**
> If / he / had not disrupted / their sleeping routines, /
> 만약 / 그가 / 방해하지 않았다면 / 그들의 일상적 수면을
> the workshop / may have ended / without any
> 그 워크숍은 / 끝났을지도 모른다 / 어떤 변화도 없이
> changes.

09 **해석** 그날 밤을 비행기 좌석에서 보낸 후, 임원들은 좋은 아이디어를 생각해 냈다.

해설 의미상 분사구문의 내용이 주절의 내용보다 앞서 일어난 일이므로 완료 분사구문인 「having+과거분사」의 형태가 알맞다.

Q 부사절의 시제가 주절의 시제보다 앞서도록 과거완료인 「had+과거분사」로 나타낸다.

> **끊어 읽기**
> Having spent / that night / in airline seats, /
> 보낸 후에 / 그날 밤을 / 비행기 좌석에서
> the company's leaders / came up with / a good
> 회사의 임원들은 / 생각해 냈다 / 좋은 아이디어를
> idea.

10 **해석** 일어섰다 앉았다 하면서 Keith는 피아노를 연주해서 독특한 것을 만들어 냈다.

해설 동시동작을 나타내는 분사구문이 바르게 쓰였다.

창의 · 융합 · 사고력 pp. 170~175

1일 which, who
2일 what, how
3일 which
4일 Left, Calling
5일 hadn't, had woken

1일 **해석** 그녀는 길을 잃은 것처럼 보이는 개를 발견했다. 옆집에 사는 소년이 와서 그것은 그의 개라고 말했다.

해설 동물(a dog)이 선행사일 때 주격 관계대명사는 which 또는 that을 쓸 수 있다. 사람(the boy)이 선행사일 때 주격 관계대명사는 who 또는 that을 쓸 수 있다.

2일 **해석** 그 마술사는 새가 사라지게 만들었다. 관중은 그들이 본 것을 믿을 수 없었다. 그들은 그가 그렇게 한 방법을 알고 싶었다.
해설 선행사가 없고 뒤에 불완전한 절이 나오면 관계대명사 what이 알맞다. 방법을 나타내는 관계부사 how와 the way는 함께 쓰이지 않고 하나는 생략해야 한다.

3일 **해석** 내가 오늘 아침 Eric을 만났을 때 나는 그에게 인사했다. 그는 나를 무시하고 지나쳐 갔고, 그것이 나를 화나게 만들었다.
해설 앞 절 전체를 선행사로 받는 계속적 용법의 관계대명사 which가 알맞다.

4일 **해석** 어둠 속에 혼자 남겨졌을 때 그 소년은 겁을 먹었다. 도움을 청하면서 그는 길을 따라 달렸다.
해설 소년이 어둠 속에 '남겨진' 것이므로 수동태 분사구문이 알맞다. When he was left alone in the dark를 분사구문으로 고치면 (Being) Left alone in the dark이다. 또한 소년이 '부른' 것이므로 능동태 분사구문이 알맞다. As he called out for help를 분사구문으로 고치면 Calling out for help이다.

5일 **해석** 만약 그녀가 늦잠을 자지 않았더라면 그녀는 공항버스를 놓치지 않았을 것이다. 그녀는 '내가 더 일찍 일어났더라면 좋을 텐데.'라고 생각했다.
해설 가정법 과거완료는 과거 사실과 반대되는 일을 가정하며, 형태는 「If+주어+had+과거분사 ~, 주어+조동사 과거형+have+과거분사 …」이다. I wish 가정법 과거완료는 과거에 대한 아쉬움을 나타내며, 형태는 「I wish+주어+had+과거분사 ~」이다.

A **1** ①, ③　　　　**2** ②, ③
B **1** a cat whose name
　　2 which means
C **1** ②　　　　**2** ①
D **1** I met a stranger who looked tired and hungry.
　　2 This is the song which he wrote for his mom.
　　3 I visited the town where I was born.
E **1** ②　　　　**2** ②
F **1** Playing soccer in the rain, he hurt his leg.
　　2 Visiting our website, you can see our product list.
　　3 (Being) Tired with hard work, I soon fell asleep.
G **1** had, could lend　　**2** were
　　3 had finished, could have gone
　　4 hadn't forgotten

A **1** **해석** 인터뷰 진행자는 삶의 만족감이 낮은 한 무리의 여성들과 이야기했다.
해설 선행사 women이 사람이므로 주격 관계대명사 who 또는 that을 쓴다.
2 **해석** 갈퀴는 사람들이 오래전에 사용하기 시작한 농기구이다.
해설 선행사 a farming tool이 사물이므로 목적격 관계대명사 which 또는 that을 쓴다.

B **1** **해설** 소유격 관계대명사 다음에는 명사가 온다.
2 **해설** 선행사는 "antibiotics"로 사물이며 계속적 용법이므로 관계대명사 which를 쓴다. 관계대명사 that과 what은 계속적 용법으로 쓰지 않는다.

C **1** **해석** ① 이것이 네가 찾고 있는 것이니? ② 그래! 그것은 내가 잃어버렸던 가방이야.
해설 ② the bag이 선행사이고, 관계대명사 what은 선행사를 포함하므로 쓸 수 없다. (→ That's the bag that[which] I lost.)
2 **해석** ① 너는 그녀가 화가 났던 이유를 아니? ② 몰라, 하지만 내가 그녀에게 말할 때마다 그녀는 화를 내.
해설 ① 이유를 나타내는 선행사 the reason 다음에는 관계부사 why를 써야 한다. (→ Do you know the reason why she got upset?)

D **1** **해석** 나는 낯선 사람을 만났다. 그는 피곤하고 배가 고파 보였다. → 나는 피곤하고 배가 고파 보이는 낯선 사람을 만났다.
해설 선행사 a stranger가 사람이므로 주격 관계대명사 who를 쓴다.
2 **해석** 이것은 노래이다. 그는 그의 엄마를 위해 그것을 썼다.
→ 이것은 그가 그의 엄마를 위해 쓴 노래이다.
해설 선행사 the song이 사물이므로 목적격 관계대명사 which를 쓴다. 목적격 관계대명사 다음에는 「주어+동사」가 온다.
3 **해석** 나는 마을을 방문했다. 나는 거기서 태어났다.
→ 나는 내가 태어난 마을을 방문했다.
해설 두 번째 문장의 부사 there가 첫 번째 문장에 나온 the town을 가리키므로 장소를 나타내는 관계부사 where를 사용하여 한 문장으로 쓴다.

E **1** **해석** 낮잠을 자서 나는 그의 전화를 받지 못했다.
해설 분사구문의 내용이 이유이고 주절이 결과를 나타내므로 이유를 나타내는 접속사 because가 이끄는 부사절이 있는 ②가 알맞다.
2 **해석** 사탕을 먹은 뒤에 Jason은 이를 닦았다.
해설 완료 분사구문인 「having+과거분사」의 형태이므로 부사절의 시제가 주절의 시제보다 앞서는 것이 자연스럽다.

F **보기** **해석** 콘서트장으로 들어서면서 그녀는 팬들에게 손을 흔들었다.

1 해석 빗속에서 축구를 하다가 그는 다리를 다쳤다.

해설 동사를 현재분사로 고쳐 동시동작을 나타내는 분사구문을 만든다.

2 해석 저희 웹사이트를 방문하시면, 여러분은 저희 제품의 목록을 보실 수 있습니다.

해설 동사를 현재분사로 고쳐 조건을 나타내는 분사구문을 만든다.

3 해석 힘든 일로 지쳐서 나는 곧 잠이 들었다.

해설 be동사를 현재분사로 고쳐 이유를 나타내는 분사구문을 만든다. being을 생략하고 과거분사 tired로 시작할 수 있다.

G 1 해석 내가 책을 가지고 있지 않아서, 나는 네게 그것을 빌려줄 수 없다. → 내가 책을 가지고 있다면 네게 그것을 빌려줄 수 있을 텐데.

해설 가정법 과거는 현재 사실의 반대를 가정하며 「If+주어+동사 과거형 ~, 주어+조동사 과거형+동사원형 …」으로 쓴다.

2 해석 나는 내가 용감하지 않아서 유감이다. → 내가 용감하다면 좋을 텐데.

해설 I wish 가정법 과거는 현재에 대한 아쉬움을 나타내며 「I wish+주어+were/동사 과거형 ~」으로 쓴다.

3 해석 나는 숙제를 끝내지 못했기 때문에 스케이트를 타러 갈 수 없었다. → 내가 숙제를 끝냈더라면 스케이트를 타러 갈 수 있었을 텐데.

해설 가정법 과거완료는 과거 사실의 반대를 가정하며 「If+주어+had+과거분사 ~, 주어+조동사 과거형+have+과거분사 …」로 쓴다.

4 해석 나는 우리 아빠의 생신을 잊어버렸던 것이 유감이다. → 내가 우리 아빠의 생신을 잊지 않았더라면 좋을 텐데.

해설 I wish 가정법 과거완료는 「I wish+주어+had+과거분사 ~」의 형태이다. 과거의 일을 반대로 가정하므로 hadn't forgotten으로 쓴다.

Memo

앞선 생각으로
더 큰 미래를 제시하는 기업

서책형 교과서에서 디지털 교과서,
참고서를 넘어 빅데이터와 AI학습에 이르기까지
끝없는 변화와 혁신으로
대한민국 교육을 선도해 나갑니다.

천재교육

정답은
이안에
있어!

시작은 하루 수능 영어

- **구문 기초**
- **유형 기초**
- **어휘·어법**

이 교재도 추천해요!

- 철자 이미지 연상 학습 어휘서 **3초 보카 〈수능〉편**

시작은 하루 수능 사회

- **한국사**
- **생활과 윤리**
- **사회·문화**
- **한국지리**

이 교재도 추천해요!

- 자기주도학습 기본서 **셀파 사회 시리즈**

시작은 하루 수능 과학

- **물리학 I**
- **화학 I**
- **생명과학 I**
- **지구과학 I**

이 교재도 추천해요!

- 자기주도학습 기본서 **셀파 과학 시리즈(물·화·생·지 I)**

배움으로 행복한 내일을 꿈꾸는
천재교육 커뮤니티 안내 . . .

교재 안내부터 구매까지 한 번에!
천재교육 홈페이지

천재교육 홈페이지에서는 자사가 발행하는 참고서,
교과서에 대한 소개는 물론 도서 구매도 할 수 있습니다.
회원에게 지급되는 별을 모아 다양한 상품 응모에도
도전해 보세요.

구독, 좋아요는 필수! 핵유용 정보 가득한
천재교육 유튜브 <천재TV>

신간에 대한 자세한 정보가 궁금하세요?
참고서를 어떻게 활용해야 할지 고민인가요?
공부 외 다양한 고민을 해결해 줄 채널이 필요한가요?
학생들에게 꼭 필요한 콘텐츠로 가득한 천재TV로 놀러 오세요!

다양한 교육 꿀팁에 깜짝 이벤트는 덤!
천재교육 인스타그램

천재교육의 새롭고 중요한 소식을 가장 먼저 접하고 싶다면?
천재교육 인스타그램 팔로우가 필수!
누구보다 빠르고 재미있게 천재교육의 소식을 전달합니다.
깜짝 이벤트도 수시로 진행되니 놓치지 마세요!